Dirección editorial:
Departamento de Literatura
Infantil y Juvenil

Dirección de arte:
Departamento de Imagen y Diseño GELV

Diseño de la colección:
Manuel Estrada

El 0,7% de la venta de este libro se destina al Proyecto «Mejora de la Calidad y oferta educativa del ciclo diversificado del Instituto Tecnológico Quiché de Chichicastenango (Guatemala)», que gestiona la ONG Solidaridad, Educación, Desarrollo (SED).

Carretera de Madrid, km. 315,700
50012 Zaragoza
Teléfono: 913 344 883
www.edelvives.es

Editado por Juan Nieto Marín

ISBN: 978-84-263-7271-0
Depósito legal: Z. 2979-09

Talleres Gráficos Edelvives (50012 Zaragoza)
Certificados ISO 9001

Printed in Spain

FICHA PARA BIBLIOTECAS

ALCOLEA, Ana (1962-)
Cuentos de la abuela Amelia / Ana Alcolea ; ilustraciones, Violeta Lópiz. – 1ª ed. – Zaragoza : Edelvives, 2009
155 p. : il. ; 20 cm. – (Ala Delta. Serie verde ; 74)
ISBN 978-84-263-7271-0
1. Relación abuela-nietos. 2. Asilos. 3. Imaginación. 4. Memoria. I. Lópiz, Violeta (1981-), il. II. Título. III. Serie.
087.5:821.134.2-32"19"

EDELVIVES

ALA DELTA

Cuentos de la abuela Amelia

Ana Alcolea

Ilustraciones
Violeta Lópiz

Para Mari Carmen Andonegui, Mari Colina,
Mercedes Fernández, María José Marín y Maribel Sanjurjo.
Por todas las historias con sabor a mar.

1

EN EL COCHE, DE CAMINO AL PUEBLO DE LA ABUELA

Pocos días después de cumplir los diez años, Nina fue con sus padres al pueblo para visitar a su abuela. Hacía más de un año que no la veía. Hablaban a menudo por teléfono, pero no era lo mismo. Vivía tan lejos que no podían verla a menudo. Nina la echaba mucho de menos. Su madre le había dicho que la abuela estaba muy enferma y que tendrían que llevarla a un hospital o a una residencia.

—¿A una residencia? —preguntó Nina mientras estaban en el coche camino del pueblo.

—Sí, a una residencia, una especie de hotel donde viven algunas personas mayores —respondió la madre de Nina.

—Ya sé lo que es una residencia, mamá. Pero no me parece que la abuela sea tan mayor como para vivir en uno de esos sitios.

—Tiene casi setenta años y no está bien —respondió Magdalena, la madre de Nina, que en ese momento iba conduciendo. Su marido la miraba sin decir nada—. Está mayor, ya lo verás.

—¿Tan mayor como mi maestra?

—Mucho más, Nina. Tu maestra tiene mi edad —A Magdalena le irritó la pregunta de Nina.

—Pues tiene el pelo blanco, como muchas abuelas. En cambio, la abuela no tiene el pelo blanco. Al menos, yo nunca le he visto canas.

—Claro que no, porque es muy presumida y siempre lo lleva teñido de un color rojizo, como tu tía.

—Me gusta el color rojo, es como el sol cuando está a punto de esconderse. La abuela también es como el sol, ¿verdad? También está a punto de esconderse en una residencia.

—Bueno, eso ya lo veremos —dijo Eduardo, el padre de Nina, que hasta ese momento había estado callado.

Nina no entendía muchas de las cosas de los mayores: por qué se pintaban el pelo, por qué se iban a hoteles en los que sólo había ancianos, por qué sus padres visitaban tan poco a la abuela.

Llegaron a una gasolinera, repostaron y Eduardo, su padre, se sentó al volante. Estuvieron los tres callados mientras duró el cedé que había puesto antes de empezar a conducir. Cantaba un hombre de voz quebrada. A Nina le gustaba mucho una canción en la que una mujer llamada Penélope esperaba a un hombre en una estación, con zapatitos de tacón y con un bolso de piel marrón. Su maestra la había puesto como ejemplo al explicar lo que eran las «rimas».

—¿Y qué es lo que le pasa a la abuela?—preguntó Nina de pronto, en cuanto se acabó su canción favorita.

—¿Que qué le pasa? Pues que no se acuerda de muchas cosas.

—¿Y eso es malo? —quiso saber Nina, a quien le gustaría olvidar algunas cosas; por ejemplo, cuando era pequeña y se enfadaban con ella y le tiraban del pelo y le decían tonta.

—A veces —intervino su padre, que parecía concentrado exclusivamente en la carretera—, algunas personas mayores pierden la memoria. Como tu abuela.

—Pero eso no quiere decir que esté enferma —replicó Nina.

—A veces es síntoma de estar muy enferma.

—¿Qué significa exactamente «síntoma»? —A Nina no le gustaba reconocer que había muchas palabras de los mayores que a veces no entendía del todo, por eso tenía que preguntar.

—Es una señal de que algo le pasa, de que no está bien; o sea, de que está enferma —le explicó su madre.

—¿Y por qué no dices «señal» en vez de «síntoma»? —preguntó Nina que no entendía por qué los mayores tenían que usar tantas palabras raras.

—Esta niña tiene unas cosas... Mira, rica, no seas tan pesada y observa el paisaje. ¿Ves aquellas casas blancas en medio de los árboles? Se llaman «cortijos».

—¿Y por qué no se llaman «casas blancas en medio de los árboles»?

—¿No te digo yo que lo de esta criatura es preocupante? Acabará como tu madre, con la cabeza...

—Déjalo ya, por favor. Intenta tú también disfrutar del paisaje —replicó Eduardo.

Y eso es lo que Nina empezó a hacer. Le gustaba mirar a través de la ventanilla y ver el paisaje que pasaba a gran velocidad como si tuviera prisa.

En general, le gustaba mirar a través de todas las ventanas. Le parecía que se abrían a un mundo diferente; a veces mejor y a veces peor que el que tenía dentro de casa, del coche, de la clase. Pero siempre diferente. Lleno de colores, de plantas, de montañas, de mares, de personas. De gente que nunca le tiraría del pelo, ni se metería con ella, ni la llamaría tonta. Gente y cosas que le sonreían siempre. Se imaginaba una gran sonrisa en la cara sonrojada del sol. Y creía que los árboles inclinaban sus copas cuando sabían que Nina los miraba desde una ventana.

Porque lo notaban, de eso la niña estaba segura.

—¿Y qué árboles son ésos, mamá?

—Encinas, se llaman «encinas». Y esos animales negros con cuernos blancos se llaman «toros».

—Eso ya lo sé, faltaría más —replicó Nina—. Los he visto muchas veces, en la tele y en el pueblo de la abuela. He visto también cómo los matan.

—¿Por qué dejas que la niña vea esas cosas en la tele? —replicó el padre, que trabajaba tanto que no estaba casi nunca en casa. Así que no siempre sabía lo que ocurría en ella, ni lo que hacía Nina, ni lo que pensaba, ni lo que veía en la televisión—. No me gusta que veas espectáculos violentos. Eres muy pequeña.

—No soy pequeña —protestó Nina—. Si puedo jugar con los videojuegos que me compras, ¿por qué no voy a poder ver los toros en la tele? Además, tú me regalaste un videojuego en el que todos se matan. De hecho, no me gusta nada. Jugué una vez y lo volví a meter en la caja. Me pareció horroroso. No soy tan pequeña, papá.

—¿Lo ves?, no es tan pequeña. Tiene incluso opiniones que nunca sospecharías, querido.

—Ya te dije, Nina, que me equivoqué al leer el título de ese videojuego. Pensé que era sobre el Imperio romano. Tendríamos que haberlo cambiado.

—Ya no hay remedio, papá, ya no se puede devolver. Hay cosas que no se pueden devolver.

—¿Te das cuenta? Tiene opiniones propias. Muy propias, de hecho.

Y Magdalena y Eduardo empezaron a hablar sobre el tiempo que uno y otro pasaban con su hija. Nina desconectó en cuanto le fue posible y volvió a mirar por la ventanilla. Y a ver el paisaje que corría hacia atrás. Recordaba haber visto a su abuela tres o cuatro veces, aunque todas las Navidades le mandaba guantes y calcetines de lana para dormir confeccionados por ella misma. Y todos sus cumpleaños, diez hasta ahora, le enviaba una postal que ella misma había hecho y en la que pegaba recortes de dibujos, de revistas o de periódicos. «Collages», los llamaba la abuela; «zarrios», los llamaba su madre; «excentricidades», los llamaba su padre. «Cuadros de la abuela», los llamaba Nina. La de este año le había gustado mucho: tenía recortes de viejas fotos de Amelia, de cuando era pequeña. Porque ella, la abuela Amelia, también había sido pequeña.

La abuela vivía a ochocientos kilómetros de Nina, por eso se veían poco. Aunque no le gustaba hablar por teléfono, hacía una excepción para comunicarse con su hijo y, sobre todo, con su nieta. Tampoco le gustaba viajar. Una vez se perdió en la estación de Sevilla y cogió un autobús equivocado. Desde entonces decidió que no saldría nunca más de su pueblo. Y, como los padres de Nina trabajaban mucho (todo el día) y casi todos los días del año, no tenían tiempo de ir a visitar a Amelia, la madre de su padre. Por eso le extrañó tanto que dos días antes su madre le dijera:

—Nina, vamos a ir a ver a la abuela.

—¿Y por qué?

—Porque está enferma y se va a ir a una residencia.

—¿Y dónde está la residencia?

—Tu tío le ha buscado una en Madrid.

—¿En Madrid? Pero eso está lejos de su pueblo.

—¿Y qué más da? Estará más cerca de nosotros y de tu tío.

—No creo que a la abuela le guste salir de su pueblo para ir a un sitio tan grande como Madrid.

—No tendrá que salir de la residencia. Además, tal y como está, le va a dar lo mismo un sitio que otro.

—¿Tal y como está?

—Está enferma, ya te lo he dicho.

Ahora, en el coche, había descubierto que la enfermedad de la abuela consistía en que había perdido la memoria. En fin, seguía sin entender muchas cosas. En realidad, seguía sin entender casi nada.

Dejaron encinares y cortijos a derecha e izquierda durante un par de horas más, hasta que por fin llegaron al pueblo de la abuela Amelia, casi nueve horas y media después de haber salido de su casa, allá en los Pirineos de Huesca.

2

El pueblo de Amelia

El pueblo de Amelia era blanco y tenía murallas, torreones y un castillo que habían convertido en un hotel de lujo. Sus casas no se parecían en nada a las casas de piedra, tejado de pizarra negra y grandes chimeneas redondas del pueblo de Nina, un pueblo de montaña donde su padre era médico desde mucho antes de que naciera ella. Su madre tenía una tienda de ropa de deporte, que fue donde se conocieron sus padres doce años atrás: el joven médico nunca había esquiado, pero aprovechando que estaba en tierras montañosas decidió aprender. La joven chica de la tienda había nacido con los esquís puestos y se ofreció a enseñarle. Así que quedaron en las pistas de esquí un domingo, y al siguiente también.

El otro no porque el joven médico tenía guardia en el hospital. Pero luego se siguieron viendo, y después de tanto esquiar y andar por las montañas, decidieron casarse un mes de marzo, en el que hacía un frío que pelaba. Amelia hizo el viaje más largo de su vida para ver casar a su hijo con aquella bonita chica de la tienda de deportes de invierno. Acostumbrada al calor del sur, cogió un catarro que se convirtió en una bronquitis crónica que la acompañaba a todos los lados. Por eso decidió que nunca más volvería a aquellas tierras de hielos y ventiscas. Y fue al llegar a Sevilla, entre estornudos y toses, cuando se equivocó de autobús y en vez de ir a Carmona se fue a Córdoba. Entonces, decidió también que nunca más volvería a salir de su pueblo. Y había cumplido su promesa.

La puerta de la casa de Amelia estaba abierta, y entraron sin llamar. Miraron por todas partes y no encontraron ningún rastro de la abuela.

—Está claro que tu madre no puede quedarse aquí sola —dijo la madre de Nina a su marido, con cara de preocupación.

Nina se puso a mirar los objetos que Amelia tenía sobre la mesa. Los recordaba de sus anteriores viajes, especialmente un perrito de porcelana muy antiguo al que le gustaba acariciar.

—Estará con alguna vecina. No pasa nada.

—¡Abuela! —gritó Nina al ver a Amelia aparecer por la puerta de la calle con un pequeño cachorro de perro en los brazos.

—¿Quiénes...? ¡Santo Cielo! ¿Qué hacéis aquí? —preguntó Amelia, que estaba claro que no se esperaba aquella visita.

—Mamá, hemos venido a verte.

—¡Qué sorpresa! ¿Qué hacéis aquí? Ayer me llamó tu hermano, y ahora os presentáis vosotros. No me dijo que fuerais a venir.

—Mamá, lo hemos decidido así, de pronto. ¡Qué alegría verte! —dijo Magdalena con la mejor de sus sonrisas.

—Perdona, no soy tu madre, soy tu suegra, y te puedo asegurar que no es lo mismo. Yo también he tenido madre y suegra, y no es lo mismo. Así que no me llames «mamá».

A Nina no le pareció que la abuela estuviera muy enferma. Parecía que su cabeza también estaba en orden. De momento los había reconocido. Se acordaba de ellos. Nina acariciaba el hocico del cachorro, que aún seguía en los brazos de Amelia.

—En cambio, tú sí que puedes llamarme «abuela», Nina. ¡Qué mayor y qué guapa estás!

—Tenía muchas ganas de verte —contestó la niña. Y se alzó sobre los dedos de los pies para alcanzar la mejilla de su abuela y darle un beso.

—¿Te valían los últimos calcetines que te mandé por tu cumpleaños? Nadie me llamó para decirme que los habíais recibido.

—Sí, abuela, los he traído. Duermo siempre con ellos.

—Aquí no te harán falta, no hace tanto frío como en el pueblo de tu madre.

Nina notó cierta punzada en el comentario de su abuela y en la mirada que le dirigió a Magdalena mientras pronunciaba aquellas palabras. La niña lanzó un soplido muy pequeño, tan pequeño que sólo lo notó ella. Después, cogió al perrito de entre los brazos de Amelia y salió con él al patio, que recordaba bien. Era un lugar blanco lleno de macetas por las paredes y el suelo, con muchos rosales y con un precioso naranjo en medio. Como era el mes de marzo, estaba lleno de flores de azahar. En cuanto salió, la invadió el olor tan intenso de aquellas flores diminutas y blancas. Pensó que los azahares eran capaces de cubrir con su perfume toda la casa, y aun de salir por encima del patio y juntarse con el aroma de los naranjos de los demás patios, y con los de la plaza, y con los de los campos vecinos. Y juntos danzar en el aire y llegar hasta las ventanillas abiertas de todos los coches que circulaban por los alrededores. Respiró profundamente para llenarse de aquel perfume. El perrito soltó un bufido para que

Nina lo dejara corretear por el suelo. Algunas florecillas se habían caído y el perro las olisqueó. Con el olfato tan desarrollado que dicen que tienen los perros, debió de sentir lo mismo que Nina, pero multiplicado por cien. De hecho, el cachorro empezó a moverse como si estuviera danzando, embriagado por el hechizo del olor de la flor del naranjo.

—¿Te gustan las flores, Nina? —le preguntó la abuela desde la puerta que daba al patio.

—Sí, en casa tenemos geranios, sus flores también huelen bien, pero no tanto como éstas.

—¿Sabes por qué estas flores son tan blancas y huelen tan bien?

—No, abuela, no lo sé.

—Un día te contaré una historia sobre los naranjos.

—¿Por qué no me la cuentas ahora, abuela?

—Porque tenemos que cenar y después hay que irse a la cama. De momento, llévate su perfume contigo y sueña con él.

La abuela se agachó, recogió varias flores, hizo un pequeño ramillete con ellas y las puso entre las manos de Nina. Ambas se sonrieron antes de entrar en el comedor. Aquella noche, Nina soñó con los cortijos que había visto a través de la ventanilla del coche. Soñó que sus paredes estaban hechas de millones de pétalos diminutos blancos y blandos, y que se podía caminar por dentro de ellas.

3

Roberto

Nina pasó su primer día en el pueblo muy entretenida con otros chicos. Jugaron al escondite, a la pelota y a las adivinanzas. También fueron al río, pero uno de los muchachos, Roberto, se cayó y se lastimó un brazo. Lo acompañaron a su casa y de ahí al médico de urgencia, que dijo que no tenía nada roto, le puso una venda y los mandó a la calle. A Nina le gustaba un poco Roberto, que tenía pecas y acento andaluz. A Nina le gustaba oír a su abuela comerse las eses o convertirlas en zetas. Y Roberto hacía lo mismo, y además tenía pecas en la cara, que era algo que Nina siempre había deseado tener. También había deseado siempre tener un perro, pero no había conseguido ninguna de las dos cosas: una porque su piel parecía siempre recién llegada del Caribe, y la otra porque su madre decía que en su casa nunca entraría ningún chucho maloliente. Nina trataba de convencerla de que ella se encargaría de lavarlo y perfumarlo, pero sus promesas nunca habían convencido a su madre, que decía que tenía alergia al pelo de los perros y de los gatos. Además, a su madre una vez un perro grande y negro le había mordido en la boca. Sí, sí, en la boca. Se acercó a una perra que criaba a su camada y la perra la atacó. Le reventó el labio. Todavía, después de tantos años, tenía una pequeña cicatriz en el labio inferior, en la parte derecha. No, estaba claro que Nina nunca conseguiría tener un perro en su casa. En cambio, Roberto tenía pecas y perro. Se llamaba *Cástor,* era marrón con manchas blancas y no olía mal. Era el cachorrito que llevaba Amelia en los brazos el día anterior.

—¿Te gusta venir al pueblo? —le preguntó Roberto mientras volvían a casa después de salir del consultorio y de dejar a los demás chicos en la plaza.

—Sí, pero vengo poco. Vivo muy lejos —contestó Nina, a la vez que le salían los colores al quedarse a solas con Roberto.

—¿Cuánto? ¿Como Sevilla de lejos?

—Más que Sevilla. Vivo en los Pirineos.

—¿En las montañas que están cerca de Francia? ¿Tan lejos? —Roberto había abierto sus ojos como lunas.

—Sí. Mi pueblo es muy bonito. Hay mucha nieve en invierno y se puede esquiar.

—Yo nunca he ido a esquiar. ¿Tú sabes?

—Claro. Allí todo el mundo sabe. En invierno no se pueden hacer muchas otras cosas. A mí me gusta.

—¿Me enseñarás algún día a esquiar?—Roberto se había acercado a ella y sus brazos casi se tocaron. A Nina le dio vergüenza y decidió meterse en casa de su abuela en cuanto pasaran por su puerta.

—A lo mejor, pero está muy lejos. Adiós. Me voy a casa. Que se te mejore el brazo.

—Pero... —empezó a decir el chico, aunque se quedó con la palabra en la boca. Nina había desaparecido detrás de la puerta blanca.

La niña subió al cuarto de baño, se lavó de arriba abajo porque estaba muy sudada y se cambió de ropa. De pronto, descubrió en su mesilla un frasco de colonia que no era suyo y que esa mañana no estaba. Lo destapó y se lo acercó a la nariz: olía igual que el árbol del patio. Vio lo que estaba escrito en la etiqueta: «Agua de naranjos». Una sonrisa se dibujó en sus labios: aquello era cosa de su abuela, estaba segura. Se echó por el cuello, por los hombros, alrededor del ombligo y en las muñecas, y se sintió de pronto convertida en árbol. Empezó a mover los brazos como si fueran ramas y, con el movimiento, el aroma de la colonia fue impregnando el aire. Comenzó a girar sobre sí misma mientras sonreía. Se sentía feliz. En ese momento, entró su madre en la habitación.

—¿Se puede saber qué haces dando vueltas como una peonza? Te vas a marear.

—Nada, mamá. Ya ves, estaba bailando —contestó Nina.

—¿A qué huele aquí? —preguntó su madre, y acto seguido empezó a estornudar.

—¿Qué te pasa? ¿Te has acatarrado? —dijo la niña.

—¿Acatarrado? Es la maldita alergia. Ese olor a flores... No lo puedo soportar. Hasta aquí llega esa peste del árbol del patio. No lo aguanto. —Y salió de la habitación estornudando sin parar.

Nina no pudo evitar otra sonrisa. Tampoco pudo evitar pensar que su madre se merecía estornudar y ser alérgica, por no soportar el olor de los naranjos.

4

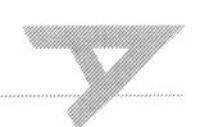

Por qué los naranjos tienen ese perfume tan intenso

Nina bajó al patio y se sentó junto a su abuela, que tejía una bufanda sentada en el balancín. La abuela se empeñaba en llamarlo «sillón», pero Nina pensaba que se parecía más a un columpio, incluso a una cuna, porque se mecía de un lado a otro. Cuando estaba en su casa, le gustaba recordar el balancín de la abuela. Sobre todo le gustaba dormirse pensando que su vaivén la acunaba.

—¿Sabes contar historias, abuela? —le preguntó Nina, que no estaba demasiado acostumbrada a escucharlas.

—Claro. Cuando tu padre era pequeño, nos sentábamos debajo de este árbol y yo le contaba cuentos. Le gustaba mucho, sobre todo en las noches de verano, cuando hace mucho calor, aunque siempre llega una suave brisa desde las estrellas.

—¿Desde las estrellas?

—Claro. Son ellas quienes mandan el aire fresco de las noches de verano. Si no, ¿de dónde iba a venir?

La lógica de la abuela era tan aplastante que Nina no se atrevió a contradecirla.

—¿Y ya existía este árbol cuando papá era niño?

—¡Anda, claro! Lo plantó tu abuelo cuando nació tu padre. Así que tiene tantos años como él.

Nina sonrió a la vez que levantaba la cabeza para ver y oler mejor las flores del árbol. Su padre nunca había mencionado aquello. Y a ella nunca le habían contado historias debajo de ningún árbol. Ni siquiera debajo de aquel ciprés que había en el jardín de su tía Marta y con el que siempre se pinchaba. Por eso no le gustaba nada.

—Pero querías saber por qué estas flores son tan blancas y huelen tan intensamente, ¿no?

—Sí, abuela, cuéntamelo.

Nina estaba cansada, y no tenía claro si le apetecía quedarse sentada escuchando a su abuela, pero se dio cuenta de que Amelia lo estaba deseando.

—Pues verás. Hace muchos, muchos, muchísimos años había una niña muy pequeña que trabajaba en una granja. Había ido allí a ayudar a su hermana mayor, que se había casado con un agricultor rico. La niña no tendría ni siete años.

—¿Tenía siete años y estaba trabajando? —Nina no se podía creer que aquello fuera posible.

—Eran otros tiempos, Nina. Apenas los niños se tenían en pie y contaban con fuerzas para cargar cosas, los ponían a trabajar.

—Abuela, ¿por qué le cuentas esas cosas a la niña? —dijo su madre desde una ventana del piso de arriba, aunque no vieron su cara, porque se volvió a meter enseguida.

—No sé por qué tu madre me llama siempre «mamá» o «abuela». Yo no soy ni una cosa ni la otra. Siempre está con lo mismo.

—Sigue con lo que estabas contando, abuela.

—Ah, sí. La niña que trabajaba en la vaquería.

—Antes has dicho que era una granja.

—En una granja hay vacas, Nina.

—Vale. Sigue.

—Pues como te iba diciendo, la niña tenía que cargar todos los días la leche. Se levantaba muy temprano y ordeñaba todas las vacas con las manos. No como ahora, que les ponen unos aparatos eléctricos y ya está. Antes había que hacerlo así.

—¿Y las vacas se dejaban?

—No siempre. De hecho, a esta niña se le amontonaban los problemas. Era muy pequeña y tenía pocas fuerzas, así que las vacas no le tenían miedo. Cuando la veían entrar en el establo, se miraban entre ellas, sonreían y empezaban a tomarle el pelo.

—¿Quieres decir que se burlaban de la niña?

—¡Anda, pues claro! Cuando colocaba el taburete para sentarse a ordeñar, las vacas empezaban a mover el trasero, de manera que la niña tenía que levantarse una y otra vez, y colocar el taburete en un lado y otro, hasta que la vaca decidía estarse quieta. Y con todas le pasaba lo mismo. Algunos días, las bromas iban aún más lejos.

—Y, entonces, ¿qué hacían?

—Esperaban a que el cubo estuviera lleno de leche. Entonces, una de ellas, la última en haber sido ordeñada, guiñaba el ojo derecho, siempre el derecho, a las otras y daba una coz al cubo y se derramaba toda la leche. La pobre niña, entonces, se iba del establo llorando.

—¿De verdad? —Nina no se creía que las vacas pudieran tener tan mala leche.

—Pues sí. Pero ¿sabes qué pasó un día?

—No.

—Un día hacía tanto frío que las vacas no tenían ganas de solfa.

—¿De solfa?

—Sí, que no tenían ganas de tomarle el pelo a la pobre niña, y se dejaron ordeñar tranquilamente.

La niña llenó un cubo y otro de leche, y otro más, así hasta doce. Nunca había conseguido tanta. Las manos se le pusieron moradas de tanto frío como hacía.

—¿Y qué pasó?

—¡Que se heló toda la leche! Cuando fue a levantar un cubo y el otro, y el otro, se dio cuenta de que toda la leche estaba completamente congelada.

—Sería como un gran helado de nata. Gigantesco. ¡Qué bien!

—No creas. Vino el dueño de la granja, que tenía muy mal genio y era el cuñado de la niña. Entonces vio que la leche estaba helada y volcó los cubos en el prado. Cuando empezó a salir el sol, los bloques helados se derritieron y el líquido fue a parar a un lugar donde había muchos naranjos. Las flores de las naranjos, por entonces, eran de color naranja, como sus frutos. Lógico, si las frutas son de un color, lo normal es que sus flores sean también iguales. —Nina había estudiado en el colegio que una cosa no tenía nada que ver con la otra, pero no quiso ni interrumpir ni contradecir a su abuela—. Pues bien, tanta leche chupó la tierra que llegó hasta las raíces de los árboles. Entonces, subió por los troncos hasta sus ramas y alcanzó las flores, que por entonces estaban empezando a nacer porque era marzo. La leche las tiñó de blanco, y a partir de entonces todas las flores de los naranjos son de ese color.

—¡Hala! ¿Es eso verdad, abuela?

—¿Tú qué crees, Nina?

—No sé; si hace mucho tiempo de eso, a lo mejor. Hace muchos años pasaban cosas muy raras.

—No más raras que las que pasan ahora, Nina. Por ejemplo, hoy en día sigue habiendo muchos niños que trabajan en vez de ir a la escuela.

—No es verdad. Yo no conozco a ninguno.

—Pero es que tú conoces sólo un pequeño pedacito del mundo. Y el mundo es muy grande, Nina, no lo olvides.

—Pero ¿esa historia es cierta o te la has inventado?

—A mí me la contó mi madre, y a mi madre la suya. Yo no sé si es verdad o mentira. Me limito a contártela a ti porque me gusta. Cuando tenía tu edad, me gustaba que me contaran historias, fueran verdaderas o falsas.

—Abuela.

—¿Qué?

—¿Y por qué las flores del naranjo huelen tanto?

—¡Ah! Ésa es otra historia. Te la contaré mañana. Ahora tienes que dormir, que llevas todo el día jugando. Ya he visto que te ha acompañado Roberto. Es muy amable. Cuando viene de la escuela, entra siempre a preguntarme si necesito algo. Algún día me trae el pan.

—Sí..., es simpático... —titubeó Nina—. Pero, abuela, cuéntame ahora esa historia, por favor —insistió Nina, que observaba que las estrellas estaban empezando a visitar el patio.

Efectivamente, corría una brisa leve que movía las hojas del árbol y sus flores, de las que bajaba un olor aun más intenso que el de antes.

—No. Mañana será otro día.

Amelia se levantó del balancín, que empezó a moverse. Nina se quedó allí quieta, observando el balanceo. Cuando el columpio iba hacia delante veía las estrellas de la Osa Mayor; cuando iba hacia atrás, las de la Osa Menor. Este pensamiento la hizo sonreír y cerró los ojos para disfrutar más del perfume de los azahares. Inspiró profundamente, pero le pareció que, si hacía eso, iba a llevarse todo el aroma de las flores. No, tenía que tener más cuidado para evitar que desapareciera para siempre aquel olor hechizante. Cuando estaba en su casa, lejos de allí, y quería recordar la casa de su abuela, cerraba los ojos e intentaba imaginar aquel perfume, pero nunca lo conseguía. El olor lo tenía allí dentro, bien metido, pero no lo podía sacar cuando quería. Y eso la molestaba. Ahora estaba segura de que a partir de aquel día, le sería más fácil recuperar el perfume del patio de la abuela cuando estuviera lejos. Al recuerdo del movimiento del balancín se uniría el de aquel aroma.

5

Fin de la historia de los naranjos

Al día siguiente, se levantó tarde. Oyó que sus padres hablaban más bajo de lo habitual y pensó que estarían cuchicheando sobre la abuela. No quiso pararse a escuchar lo que decían y se fue a jugar. Estuvo todo el día esperando que llegara la noche para que su abuela terminara de contarle la historia de los naranjos.

—Pues verás, Nina, eso pasó hace mucho, muchísimo tiempo. Pero no fue con los naranjos a los que les cayó la leche de vaca —comenzó a contar la abuela.

—No entiendo, si eran otros, ¿cómo es que todos son blancos y huelen...? —preguntó Nina.

—¡Ni idea! Yo sólo me sé la historia, no la compliques con preguntas. Además, no es importante. —La lógica de Amelia no tenía nada que ver con la de Nina.

—Pues no lo entiendo.

—No hay que encontrar una explicación a todas las cosas de este mundo. Yo tampoco sé por qué el cielo es azul, ¡y lo es!, o por qué el mar puede ser verde, azul o gris.

—Pues yo sí lo sé. El profesor de Conocimiento nos lo ha explicado y... —empezó a decir Nina, a quien ese profesor le gustaba mucho porque tenía la sonrisa más dulce de todo el colegio, incluso más que su maestra favorita, que era, además, su tutora.

—Bueno, bueno, ¿quieres o no saber por qué las flores del naranjo tienen perfume?

—¡Sí, sí, venga!, ¡cuéntamelo ya!

—Pues verás. Hace muchos, muchos años, llegó gente del norte de África que se instaló en estas tierras.

—Los árabes, abuela, lo he estudiado. La profesora dice que...

—¿La profesora dice por qué los naranjos huelen bien?

—No, no habla de eso.

—Pues, entonces, cállate y no me interrumpas más o te quedarás sin saber la historia —prosiguió

Amelia—. Aquellas gentes norteafricanas trajeron muchas cosas, y también muchas palabras, como «acequia», «almohada», «naranja» y «azahar», que es como se llaman las flores del naranjo.

—«Azahar» es como «azar». Vamos, lo mismo que cuando te encuentras a alguien en la calle por casualidad.

—He dicho «a-za-har», con hache intercalada, no «a-zar», que no es lo mismo.

—La profe dice que la hache no sirve para nada, que es muda.

—Pues, mira por donde, aquí sí que sirve para algo. «Azahar», sin hache, sería «azar», y no tienen nada que ver. «Azahar» es el nombre de estas flores que tienen un perfume tan penetrante, y es una palabra persa que trajeron los árabes.

—¿Y por qué trajeron palabras persas?

—Porque habían viajado mucho y de Persia cogieron palabras.

—¿Y qué es Persia? —preguntó Nina.

—Persia era un gran Imperio de la Antigüedad. Alejandro Magno luchó contra los persas, ¿no lo has estudiado en la escuela?

—No, eso no —contestó un tanto decepcionada Nina. Su madre siempre decía que la abuela nunca había ido a la escuela; sin embargo, sabía más que ella. Además, su madre también decía que la abuela estaba perdiendo la memoria, y parecía que se acordaba de muchas cosas. Nina no entendía nada.

—Bueno, a lo que íbamos. Los árabes trajeron las semillas de los naranjos y las plantaron por toda Andalucía, por Valencia y por más sitios.

—En mi pueblo no hay naranjos —replicó Nina.

—En las montañas hace demasiado frío para que haya naranjos —explicó de mala gana la abuela, que empezaba a estar harta de tantas interrupciones—. En los Pirineos tenéis otras cosas. Y cállate de una vez, que pierdo el hilo y ya no sé por dónde voy.

—Has dicho que plantaron muchos naranjos.

—Eso es, sí, plantaron muchos naranjos. Verás, había un hombre muy rico que tenía un hijo al que le gustaban mucho las naranjas. Todas las tardes, cuando se ponía el sol, el muchacho se iba al huerto a verlas crecer. Le gustaba ver cómo iban cambiando de color: primero, verdes; luego, amarillas y, después, anaranjadas. Cada año cogía una del árbol más grande y hermoso y la guardaba en su baúl. Todas las mañanas la tomaba en sus manos hasta que se empezaba a arrugar. Le gustaba el perfume que tenía. Entonces las flores todavía no desprendían ningún aroma. Sólo olían las naranjas.

—Pues mi profesor de Conocimiento dice que todas las flores tienen perfume para atraer a los insectos y así...

—¡O te callas de una vez o dejo de contarte la historia!

—Vale, vale, me callo, pero es que...

—¡Ni es que ni nada! ¡No me interrumpas más! —Amelia se sentó un poco mejor en el balancín. Su trasero se iba deslizando cada vez más hacia delante y corría el riesgo de caerse—. Cada año hacía lo mismo, así que, cuando cumplió los dieciséis, fue al huerto y eligió la naranja más hermosa, la más grande y reluciente. La acarició y sintió ganas de comérsela. Pero percibió algo diferente en aquella fruta. Olía mucho más que ninguna otra. Además, sintió como si le pidiese algo. Así que la guardó en el baúl, como hacía con todas. Aquella misma noche, lo despertaron unos ruidos que provenían de allí. Se levantó extrañado. Le pareció como si algo se estuviera moviendo dentro. Alzó la tapa y lo que vio lo dejó sin habla durante unos segundos: había una preciosa niña vestida con ropas de color naranja.

»—¿Qué haces aquí? —le preguntó el muchacho, que estaba aún medio dormido.

»—¡Qué pregunta más tonta! Tú me has traído hasta aquí.

»—Yo no he traído a nadie.

»—¿Has cogido tú una naranja del árbol más grande del huerto de tu padre?

»—Sí.

»—Yo soy esa naranja. Bueno, no exactamente. Me hechizó una vieja bruja hace muchos años, casi cuando nací. Estaba escrito que un joven apuesto me desencantaría, y has sido tú. Me gustas.

»El joven no sabía qué decir. Estaba sorprendido. No estaba seguro de si estaba dormido y aquello era un sueño, o de si era verdad que estaba hablando con una naranja convertida en niña o con una niña convertida en naranja.

»—¿Y si te llego a comer?

»—Habría desaparecido para siempre y ahora no estaríamos aquí. Supongo que te habría sentado mal y que habrías tardado mucho en hacer la digestión —dijo la muchacha, y se echó a reír.

»—Y, ahora, ¿qué hacemos? —preguntó el chico, que estaba desconcertado. Como no había leído el cuento de *La bella durmiente del bosque,* no sabía que a las niñas encantadas de los cuentos, que suelen ser princesas, hay que darles un beso.

»—Debemos seguir las instrucciones del hechizo. Tenemos que hacer algo para que el árbol no note que me has cogido. De lo contrario, la bruja matará a toda mi familia.

»—¿Y qué podemos hacer?

»—¿Te has dado cuenta de que cuando aún colgaba de la rama del árbol mi piel olía más que las demás?

»—Sí, por eso te elegí.

»—Tenemos que exprimir muchas naranjas y derramar el zumo en las raíces. De esta manera el perfume subirá por el tronco, el árbol olerá como antes y la bruja no notará que ya no estoy allí.

»Dicho y hecho. A la mañana siguiente, el joven cogió un cesto de naranjas tras otro. Su padre le preguntó que para qué quería tantas, y el muchacho contestó que no se lo podía decir, pero que al día siguiente le daría una sorpresa. Una vez en su habitación, la niña y él empezaron a exprimir todos aquellos kilos de fruta, y llenaron más de treinta botellas. Por la noche, salieron sigilosamente y las pusieron en unos cestos que llevó una vieja mula que había en la granja. Cuando llegaron al pie del viejo árbol, derramaron todo el contenido. Al acabar, el cielo comenzó a tronar y a relampaguear, y se puso a llover. Y tanto llovió que el agua se mezcló con el zumo y se extendió por todo el campo de naranjos, traspasó la cerca y fue a parar a los huertos de los vecinos, y más tarde a todos los naranjos de Andalucía y de Valencia.

»Esa misma mañana, el joven presentó a la chica a su padre.

»—Ésta es la mujer con la que me voy a casar.

»—¿A casar? Pero ¿de dónde ha salido?, ¿quiénes son sus padres? —preguntó sobresaltado el hombre.

»—Soy hija del califa de Córdoba. Una hechicera me encantó y he vivido muchos años convertida en una naranja. Vuestro hijo me ha salvado y voy a casarme con él. Mandad emisarios a mi padre, celebraremos las bodas en palacio.

»Y así lo hicieron. Se casaron y nueve meses después nació su primer hijo, justo cuando los naranjos empezaban a florecer. Fue entonces cuando la gente percibió que de las flores emanaba un extraño olor, que eran más blancas que nunca y que olían de una manera que se metía por todos los poros de la piel. Nadie sabía a qué se debía aquel perfume. Sólo la princesa y el joven conocían que el olor venía de todo aquel zumo de naranja que habían vertido nueve meses antes en la tierra y que la lluvia se había encargado de diseminar por todos los campos. Y así termina la historia. Ahora, Nina, ya sabes por qué la flor del naranjo huele de esta manera tan especial.

—Y si sólo lo sabían ellos, ¿cómo es que también lo sabes tú?

—A mí me lo contó mi abuela una noche de estrellas como ésta.

—¿Y quién se lo contó a tu abuela?

—Su abuela, y a ella su abuela, y así sucesivamente, hasta llegar a la nieta de la princesa, a la que se lo contó la princesa en persona.

—¿Y todo eso es verdad, abuela? —preguntó incrédula Nina.

—¿Y qué más da que sea o no verdad?

—Pues mamá dice que siempre hay que decir la verdad.

—¿Ves la luz de la Luna? —le preguntó Amelia.

Nina no sabía a qué venía aquella pregunta.

—Sí. Está ahí arriba. Todos podemos verla.

—Pues esa luz es una mentira. La Luna no tiene luz. Lo que vemos es un reflejo de la luz del Sol. O sea, que parece que vemos una cosa y resulta que es otra. La Luna es mentira. Pero es hermosa —dijo Amelia mientras se levantaba, y se encaminaba con paso cansado a la puerta—. Y, ahora, a dormir.

—Pero abuela, la Luna está ahí.

La abuela se dio media vuelta y miró indulgente a su nieta.

—Sí, Nina, la Luna está ahí. Mira aquella estrella, la más pequeña a la derecha de la Luna, ¿la ves?

—Sí, abuela, está ahí. Todos podemos verla.

—Cierto. Todos podemos verla, pero no está ahí.

—¿Que no está? Pero si la estoy viendo. —Nina se levantó del balancín con tal ímpetu que casi se cae.

—La ves pero no está. Desapareció hace miles de años. ¡Ah! Así que la línea que separa lo que está de lo que no está es muy pequeña. O sea, que la línea que separa la verdad de lo que no es verdad es casi inexistente. Por eso, de la historia que te he contado, lo que más importa no es que sea o no cierta.

—¿Y qué es lo que importa entonces, abuela? —preguntó Nina desconcertada.

—Eso lo irás averiguando poco a poco. Poco a poco. Y, ahora, ¡a dormir! Mañana será otro día. Que descanses.

Nina se quedó con ganas de saber cómo podría ir desvelando aquellos misterios. Se volvió a sentar en el balancín y miró las estrellas. ¿Cómo podía ser que aquéllas que estaba viendo no existieran ya? A lo mejor su madre tenía razón y su abuela no estaba bien de la cabeza. ¿Qué pensaría su profesor de que se vieran estrellas que ya no existían? ¡Qué disparate!

De pronto, un poco de viento le trajo el perfume de las flores del naranjo. Era tan intenso que Nina pensó que venía de todos los naranjos juntos que había visto desde la ventanilla del coche el día que llegó. Cerró los ojos y pensó en la princesa de color naranja y le puso la cara de la foto de su abuela cuando era joven. Sonrió. Después, se levantó y se fue a dormir. El muelle del balancín emitió un quejido. Necesitaba unas gotas de aceite.

Aquella noche, Nina tardó en dormirse. Cuando lo hizo, le asaltaron imágenes de naranjos en flor que al principio no olían, pero que después desprendían un aroma que tenía los colores del arco iris. Nina no entendía cómo un perfume podía tener color, pero es que en los sueños pasan cosas muy raras para las que no hay explicación. Cuando se despertó por la mañana, le pareció que su habitación olía a azahar. Comprobó que la ventana estaba abierta, aunque ella no la había dejado así. Seguramente, la abuela la habría abierto temprano, o quizás su madre, que no habría querido despertarla. También soñó con Roberto, pero de eso no se acordaba.

6

LA HISTORIA DE LA MONEDA MISTERIOSA

Al día siguiente, Nina estuvo leyendo el libro que le había mandado su maestra para aquellos días. Después, salió a la calle pero no vio a Roberto. Su perrillo, *Cástor,* andaba de acá para allá, pero su dueño no estaba con él. Al terminar de cenar, Amelia pidió a Nina que la acompañara a su habitación. Iba a enseñarle un secreto. Pero antes tuvo que terminarse la tarta de manzana que su madre había hecho y que a la abuela no debió de gustarle mucho porque no se la comió entera.

—Mira, ven, quiero que veas esto —dijo a Nina, mientras se sentaba en la cama y comenzaba a hurgar en el primer cajón de su mesilla.

La niña pensó que ése era el lugar más adecuado para que su abuela escondiese sus secretos. Ella también los guardaba en su mesilla: aquella caja de metal que le regaló su tía Marta cuando cumplió siete años, y que contenía un mechón de pelo de su primo mayor. Se lo había cortado un día mientras él dormía la siesta a la sombra del ciprés. Nadie sabía que Nina había hecho eso con las tijeras de cortar el pescado de su tía, ni que tenía aquello guardado en su mesilla, anudado con una cinta de color rojo. El corazón empezó a golpearle más deprisa al recordar aquella travesura y a su primo.

—¿Qué es, abuela?

—Una moneda, ¿no lo ves?

Amelia le mostró, sobre la palma de su mano izquierda, una vieja moneda cubierta de moho verde.

—¿Una moneda verde? —Nina nunca había visto otras monedas que no fueran euros.

—No es verde, Nina. Es el tiempo el que la ha puesto así. Antes era dorada, de un dorado rojizo, como los calderos que hay en la cocina.

—¿El tiempo pone verde las cosas? Quizá nosotros nos acabemos poniendo de ese color.

—No, Nina, nosotros no. Sólo ocurre con este metal. A veces piensas unas cosas muy raras. —Amelia la miró extrañada, como si su nieta en vez de diez años tuviera cinco.

—¿Y se pone rojo como tu pelo?

—Te he dicho rojizo como los calderos de la cocina. Es de cobre. El cobre, con el tiempo, forma este moho verde, como el queso cuando está viejo.

Nina la miró con la boca abierta. Sólo a su abuela se le podía ocurrir comparar aquella moneda con un queso.

—Tienes la boca tan abierta como debía de tenerla el muerto al que se la pusieron bajo el paladar.

—¿Quién metió esta moneda en la boca de un muerto? ¿Para qué? —Nina no podía imaginarse que alguien fuera capaz de hacer algo así.

—¿Para qué? Pues para que pudiera llegar bien a la otra orilla.

—¿A qué otra orilla? —Nina empezaba a pensar seriamente que su abuela estaba como una cabra. ¿A qué orilla tenían que pasar los muertos?

—Verás, los antiguos griegos creían que cuando uno moría debía cruzar la llamada «laguna Estigia» para llegar al reino del más allá. Pero no podía hacerlo solo, tenía que llegar allí en una barca que conducía un barquero llamado Caronte. Y había que pagarle. Por eso, colocaban una moneda a los muertos en la boca, para pagar al barquero.

—Pues ésta no la debió de coger, abuela.

—No, está claro que no. Ésta la encontró tu abuelo hace muchos años.

—¿El abuelo conoció a alguno de esos griegos? —preguntó Nina, que a veces se despistaba un poco con la cronología.

La abuela soltó una sonora carcajada.

—No, claro que no. Eso pasó hace más de dos mil años. Esta moneda tampoco tiene tantos años, quinientos a lo sumo. ¿Pero es que todavía no sabes quiénes eran los griegos? —Amelia no entendía que su nieta no supiera esas cosas que todo el mundo sabía desde siempre.

—Claro que sí. Los griegos son los habitantes de Grecia, un país en el Mediterráneo. Papá estuvo una vez allí, en un congreso de médicos. En un crucero por unas islas muy bonitas. Hizo unas fotos preciosas.

—Ya, los griegos de los que yo hablo vivieron hace dos mil años. No son los mismos. En fin —dijo moviendo la cabeza de un lado a otro—, alguien debería contarte muchas cosas.

—Entonces, abuela, ¿de dónde ha salido esta moneda? —A Nina se le estaban agolpando en la cabeza los griegos, las lagunas Estigias, los abuelos, las monedas verdes... y sintió que se empezaba a marear. Se dio cuenta de que había muchas cosas que no sabía y que le gustaría conocer.

—Tu abuelo la encontró en una tumba antigua. En una isla.

—¿En una isla? ¿Una isla griega como las del crucero de papá?

—Parecida, pero más cercana. En una isla del Mediterráneo, cerca de Cerdeña. Una isla que era una prisión, y en la que tu abuelo estuvo trabajando un par de años como cocinero.

—¿El abuelo trabajó en una cárcel? —A cada momento, Nina descubría cosas nuevas. Su abuela era mejor que los libros del colegio, esos que ni siquiera se podían subrayar porque tenían que utilizarlos otros alumnos al curso siguiente.

—Sí, cuando era muy joven, antes de venir aquí y conocerme a mí. Era marino, trabajaba de cocinero en un barco mercante. Un verano le ofrecieron un empleo en aquella isla a la que el barco llevaba agua y víveres, y se quedó un tiempo. Fue entonces cuando, un día que libraba, encontró la tumba.

—¿Y cómo ocurrió?

—Estaba paseando con otros dos marinos que también se habían quedado a trabajar en la isla. Vieron una sima y bajaron. Allí había una cueva. Llevaban una linterna, así que se metieron dentro. Al principio no observaron nada, pero de pronto algo que sobresalía de la tierra les llamó la atención. Era un hueso humano. Luego otro, y otro. Se ayudaron de unas piedras para seguir excavando hasta que encontraron un esqueleto entero, incluida la calavera.

—A Nina le dio un escalofrío mientras escuchaba a su abuela—. Tenía el cráneo agujereado. Lo iluminaron bien para verlo mejor. Fue entonces cuando se dieron cuenta.

—¿De qué, abuela?

—De que tenía verdes los huesos de la boca.

—¿Verdes?

—Sí, por la moneda.

—¿Qué moneda? —Nina se había perdido.

—¿No te estoy contando cómo tu abuelo encontró esta moneda?

—¿Esta moneda? —recordó Nina—. ¡Ah, sí!

—Claro. Pero ellos entonces no lo sabían. No entendían por qué tenía el paladar verde. Decidieron salir de allí cuanto antes y acudir a la policía para contarles que habían encontrado un cadáver. Al agacharse para recoger la linterna, el abuelo vio algo verde junto a los huesos del cuello. Era una moneda vieja, mohosa. Se la metió en el bolsillo sin decir nada a sus compañeros.

—¿No les contó nada?

—No. Mantuvo la moneda escondida. No dijo nada a nadie. Ni siquiera a mí hasta el día antes de morir.

—¿Sí? —Nina no sabía qué pensar del abuelo. Ni siquiera lo había conocido. Pero ahora resultaba que era un ladrón de monedas. A lo mejor no trabajaba en la isla-prisión. A lo mejor había estado allí por ladrón, y tampoco se lo había dicho a Amelia.

—Estuvo a punto de llevarse este secreto a la tumba. Pero necesitó contarlo para irse en paz. Resultó que el cadáver era el de un hombre que había muerto por un tiro de arcabuz hacía casi quinientos años... Al menos, eso es lo que dijeron después los periódicos.

—¿Qué es un arcabuz?

—Un arma de fuego antigua. El hombre había muerto seguramente en algún ataque pirata a la fortaleza que había en la isla. O tal vez él mismo fue un pirata. El caso es que alguien le había puesto una moneda de cobre, ésta, en la boca, para pagar al barquero que lo pasase a la otra orilla.

—¿Pero no has dicho que eso lo hacían los griegos hace más de dos mil años, y que eso pasó hace quinientos más o menos?

—Pues sí. Pero esa costumbre se mantuvo en Europa, al menos en algunas partes del Mediterráneo, hasta el siglo XVI. Pero no es una novedad. He investigado por si debía notificar el hallazgo a algún museo, y lo que te he contado es cierto. Puedes quedarte con la moneda. Es para ti.

—¿Para mí? —Nina ni siquiera se había atrevido a tocarla. Sentía una mezcla de asco y de miedo: aquello había estado dentro de la boca de un muerto, en una calavera. ¡Puaf!

—Sí, Nina, para ti. El abuelo me dijo cuando murió que debía quedar en la familia. Es mejor que la tengas tú.

—Pero ¿y mi padre?, ¿y el tío?

—Es mejor que la tengas tú —repitió. La envolvió en un pañuelo que debía de haber sido de su marido, y se la tendió a Nina.

—¿Y si la limpiamos antes, abuela? —La niña empezaba a sentir unas náuseas que amenazaban con echar fuera la tarta de manzana y la pechuga de pollo con ensalada que había cenado.

—Si la limpiamos perderá parte de su historia. Además, se puede ver el año y la efigie de alguien. ¿Qué ganamos con limpiarla? ¿Que brille más? ¿Que recupere su color metálico? A mí me gusta más como está. Y así siempre te acordarás del hombre del paladar verde.

—¿Y quién sería aquel hombre del paladar verde? —se preguntó Nina en voz alta.

—Pues no lo sé, y tu abuelo tampoco lo supo nunca. La policía se llevó el cuerpo. Supongo que investigarían el caso, pero nunca contaron nada; al menos tu abuelo no se enteró. Tampoco él les dijo lo de la moneda, que habría ayudado a esclarecer algo más el asunto; al menos habrían concretado más la época en que lo enterraron.

—¿Y si era un pirata?

El cerebro de la niña empezaba a zambullirse en el océano inmenso y hasta entonces casi desconocido de su imaginación.

—¿Quién sabe? ¿Por qué no? Podemos inventar una historia de piratas y venganzas en la que aparezca alguna damita con el nombre de Nina.

—¿Nina? ¿Por qué Nina?

—¿Y por qué no? Es un nombre como otro cualquiera. O casi.

Pero Nina no quería que alguien con su mismo nombre estuviera dentro de una historia que había acabado tan mal. Así que le dijo a su abuela que se buscara otro nombre para la chica.

—Está bien. La llamaremos Ailema, ¿te parece mejor?

—¿Ailema? Vaya nombre más raro, abuela.

—Es «Amelia» pero al revés, como si lo pusiéramos delante de un espejo. Eso es lo que leeríamos. Sí, ya está, la llamaremos así.

Pero Nina no estaba muy convencida de querer oír una historia de piratas, de Ailemas y de hombres muertos con una moneda que teñía sus paladares.

—¿No te parece mal inventarte una historia sobre alguien que existió de verdad? —preguntó Nina, intentando persuadir a la abuela para que no pensara más en aquel episodio de la dichosa monedita.

—¿Mal? Eso es lo que hacen muchos escritores, que imaginan lo que hizo y pensó un personaje histórico, escriben una novela sobre ello y se quedan tan panchos. Nosotras no vamos a escribir ningún libro, sólo vamos a pensar qué pudo haber pasado. Porque está claro que algo ocurrió.

—Por ejemplo... —empezó a decir Nina, que no pudo evitar caer en las redes de su abuela.

—Por ejemplo, que una joven llamada Ailema vivía en un harén de Argel.

—¿Qué es un harén, abuela? —preguntó Nina, que había visto pocas películas sobre *Las mil y una noches.*

—Un harén es el lugar donde viven todas las mujeres de un sultán.

—¿Un sultán puede tener más de una mujer?

—Claro.

—Pero no puede ser porque...

—No empieces con tus cosas o no sigo contándote la historia.

—¿Y a mí qué? Además, es mentira. Te la estás inventando.

—¿Y qué pasa si me la estoy inventando? ¿No es eso lo que hacen todos los escritores, inventar historias?

—¡Qué manía te ha dado hoy con los escritores, abuela!

—Bueno, cállate de una vez y déjame continuar. Verás, Ailema vivía en un harén. La habían secuestrado de niña y obligado a vivir allí. Un día hubo una rebelión en la ciudad y aprovechó para escaparse. Se refugió en un barco que estaba anclado en el puerto. Quería irse lo más lejos posible. Pero como no sabía de dónde venía, ni cuál era su familia, no tenía adónde ir. Sólo quería salir de aquel lugar en el que había sido tan desgraciada. Así que se escondió en aquel barco que zarpó esa misma noche. Le extrañó que el navío se hiciera a la mar con la oscuridad. Pero es que era un barco pirata, y ella no lo sabía. Pasó varios días escondida en un rincón de la bodega. De vez en cuando cogía alguna naranja y alguna manzana, incluso se atrevía con el agua. Así pudo sobrevivir más o menos tranquila hasta que un día oyó, por encima de su cabeza, mucho jaleo y el paso apresurado de los piratas. De pronto, un estruendo hizo temblar el barco entero. ¡Los estaban atacando! No sabía qué hacer, si quedarse donde estaba o salir a cubierta. Optó por permanecer quieta, quién sabe lo que estaría pasando allá arriba. En aquel momento se arrepintió de haberse escapado del harén: allí comía todos los días, hablaba con las demás mujeres y de vez en cuando se lo pasaba bien. En cambio, en aquel barco iba a morir y su cuerpo iba a ser devorado por los tiburones, de eso estaba segura. No pudo evitar echarse a llorar por su mala suerte. Pero después de un buen rato se acabaron todos aquellos ruidos. De pronto, oyó que se abría la puerta del almacén y vio que entraba un hombre vestido con ropa de color azul, con una espada en la mano y con unas botas relucientes. No se parecía a ninguno de los tipos que había visto bajar a coger víveres. Aquél no era un pirata, parecía un caballero. Ailema pensó que ya era hora de salir de su escondite.

»—¡Eh! Señor —acertó a decir. Llevaba varios días sin articular palabra, y casi no le salía la voz.

»—¿Quién anda ahí? Sal con las manos por encima de la cabeza, que yo te vea —dijo el hombre.

»Ailema no pudo hacer otra cosa. Cuando el caballero la vio, pensó que era la mujer más hermosa con la que se había cruzado en toda su vida. Tan sorprendido estaba que hasta se le cayó la espada.

»—¿Quién eres tú? —le preguntó.

»—Me llamo Ailema y me escapé del palacio de un mercader de Argel. Me escondí en este barco porque quería irme lejos.

—Abuela —la interrumpió Nina—, antes has dicho que vivía en el harén de un sultán, y ahora resulta que era un mercader. ¿En qué quedamos, sultán o mercader?

—¡Qué más da! No me interrumpas o te quedas sin saber el resto de la historia.

—Está bien, abuela. Ya me callo.

Amelia continuó donde lo había dejado:

—Me escondí en este barco porque quería irme lejos.

»—Y por poco lo consigues, ¡casi te vas al otro mundo! —exclamó el caballero a la vez que se agachaba para recoger su espada—. Éste era un barco pirata, lo hemos abordado. Ahora estás bajo mi protección. Soy el capitán Monsalve, del ejército del Emperador —añadió e hizo una reverencia tan exagerada que sus pelos le escondieron toda la cara.

Ailema se quedó quieta observando el movimiento del hombre. Nunca había visto a nadie hacer eso.

»—¿Me llevaréis con vos, señor? No me devolváis a Argel, por caridad.

»—No te preocupes, que no lo haré, estamos en guerra con ellos. Te llevaré a España, la que supongo que debía de ser tu patria, a tenor de lo bien que hablas mi idioma.

—No sé de dónde vengo, capitán. Recuerdo que estaba con mi familia, y que los piratas me llevaron. Nunca volví a ver a nadie. Cuando me desperté estaba entre gentes que hablaban otra lengua y que vestían otras ropas. Nunca conseguí aprender a hablar bien aquella lengua extraña.

»—Nos dirigimos al puerto de Valencia. Allí conozco un convento de trinitarias que te acogerán.

»—¿Qué es un convento? —preguntó la joven, que desconocía los usos y costumbres de su país.

»—Un convento es un lugar cerrado y protegido donde viven muchas mujeres consagradas al Señor —contestó el capitán.

»—Eso es un harén, capitán. —El soldado movió la cabeza de un lado a otro y sonrió por lo que había dicho la chica—. De ahí vengo y no quiero volver a un lugar parecido. Dejadme en la calle, que ya encontraré a alguien a quien servir.

»—¿Vienes de un harén?

»—Sí, señor.

»—No se lo digas a nadie, así estarás más segura. Sólo yo sabré tu secreto, ¿de acuerdo?

»—Lo que vos digáis, capitán.

»El hombre se acercó a la muchacha y le acarició la mejilla con su mano ensangrentada por una herida, con cuidado de no mancharle la cara.

—Y, entonces, ¿qué pasó? —preguntó Nina, intrigada.

—Pues que el capitán se la llevó a su barco y que todos los soldados y marineros se quedaron sorprendidos cuando lo vieron aparecer con aquella mujer tan guapa que había salido del buque pirata. Cuando le preguntaron, contó a todos que era una princesa que había sido secuestrada por aquellos malvados y que ahora estaba bajo su protección, hasta que llegaran a la corte. Ese mismo día, pusieron rumbo al Oeste, hacia las costas españolas.

»Aquella noche, cuando Ailema estaba cenando junto al capitán la primera comida caliente después de muchos días, se desató una terrible tormenta. Avistaron una luz a babor y se dirigieron hacia ella. El mástil se rompió con el viento y con los golpes de mar, y las velas quedaron casi destrozadas. Al poco llegaron a una isla y se refugiaron en la ensenada. Pronto recibieron visita: aquella era una isla-prisión, al norte de Cerdeña. El alcaide ofreció al capitán su ayuda, su mesa y un lugar donde dormir. Bajaron todos a tierra, todos menos tres marineros que se quedaron de guardia. Ailema acompañó al capitán vestida con ropa de hombre, aunque sin ocultar su cabellera y su identidad.

»—Decidme, capitán, ¿quién es la damisela que os acompaña? ¿Acaso alguna cautiva de Argel? —Aquel hombre parecía leer el pensamiento.

»—Es una princesa que fue secuestrada por los piratas. La hemos liberado de sus captores, alcaide. Agradecerá una buena cama en vuestra morada.

»—Será un placer acogerla, capitán.

»Le dieron a la joven una habitación en la que hacía muchísimo frío, aunque en la cama alguien había metido un brasero de metal con carbón para calentarla. El capitán se acostó en una habitación no lejos de la de Ailema. De pronto, lo despertaron unos gritos de mujer. Era ella, que estaba siendo atacada por los hombres del alcaide. El capitán desenfundó la espada y arremetió contra los malechores. Mató a los cuatro hombres que habían entrado en la habitación. Después, hizo vestirse a la joven y salieron de allí lo más deprisa que pudieron. Llegaron a la playa donde estaba el bote. El capitán dejó a Ailema con seis soldados, a los que dio la orden de llevarla al barco y protegerla. Él volvió solo a la prisión para contar al alcaide lo que había pasado. En la puerta lo esperaba con la espada desenvainada.

»—Habéis matado a cuatro de mis hombres. ¿Así agradecéis mi hospitalidad?

»—Atacaron a la princesa. ¿Cómo habéis podido consentir que sucediera?

»—Hace meses que no vemos a ninguna mujer y...

»—En guardia. Luchad.

»—Sea —respondió el alcaide, y comenzó el duelo bajo la luz de una luna que no quería perderse la singular batalla.

»Contendieron más de una hora, estocada acá, estocada allá. El capitán tenía dos heridas, una en el hombro izquierdo y la otra junto a la cintura, aunque no era más que un rasguño. El alcaide, sin embargo, estaba ileso, hasta que el capitán ejecutó una finta y por fin lo alcanzó con la espada en el costado, junto al corazón. Cuando el capitán desarmado se acercó para comprobar que estaba muerto, el alcaide se levantó de un salto y le asestó una puñalada con un cuchillo que tenía escondido. Entonces, el capitán se acercó a la pared donde se apoyaba el arcabuz, giró sobre sus pies y disparó. Le alcanzó en la cabeza y el alcaide cayó muerto sin tener tiempo de decir palabra. El capitán miró a su alrededor. Respiró profundamente. No había nadie cerca. Cogió el cuerpo del alcaide y lo escondió en una cueva que había descubierto cuando llegaron. Cavó un poco con la espada, lo enterró como pudo y salió corriendo hacia el barco. Pero algo pasó por su cabeza y volvió sobre sus pasos. Se llevó la mano a la bolsa que siempre pendía de su cintura y en la que llevaba algunas monedas de oro, de plata y de cobre. Extrajo una de estas últimas y se la metió en la boca al muerto. Había leído en algún lugar que los antiguos marineros griegos hacían eso con sus difuntos, y alguien le había dicho que en aquellas islas se mantenía la costumbre. Cuando terminó, cerró la bolsa y echó a correr hacia la playa. Allí estaba el bote esperándolo. Poco después llegó a su navío. Se fue derecho a su camarote, se tumbó en la cama, se bebió una jarra entera de agua y se durmió pensando en todas las cosas que le habían pasado aquel día.

»Y ya está.

—¿Cómo que ya está? —preguntó Nina—. ¿Y qué pasó con la chica?

—¡Ay! Nina, eso ya no lo sé.

—Pues yo quiero que me cuentes qué pasó después —insistió.

—Te estaba contando lo del muerto que tenía el paladar verde por la moneda, ¿te acuerdas? Lo del capitán y Ailema es otra historia.

—Pero...

—Pues eso, que es otra historia. Y ahora, hala, a dormir, que es muy tarde. Mañana será otro día.

Amelia se levantó de la cama donde estaba sentada e invitó a Nina a salir de su habitación. Se sentía cansada y quería acostarse pronto. Inventarse historias le gustaba, pero también le fatigaba.

Nina bajó las escaleras y salió al patio. Se sentó en el balancín y empezó a moverlo con los pies. Aspiró el perfume del naranjo y decidió imaginarse ella misma el final de la historia de Ailema. Así que cogió la caja con la moneda verde que estaba junto a ella y cerró los ojos. Pero se quedó dormida allí mismo. Era como si ella hubiera sido la que había luchado contra todos aquellos hombres malvados con los que se las había visto aquel día el capitán Monsalve. En sus sueños la historia de la moneda verde tuvo otro final: fue el capitán el que murió a manos del alcaide de la prisión. Y la moneda estuvo dentro de su boca durante cientos de años, y no en la desdentada, y seguro que maloliente, del perverso alcaide de la prisión. En su sueño, Nina prefirió que aquello que tenía en las manos hubiera permanecido dentro de la boca del capitán, y no entre los huesos del malvado director de la cárcel. Aunque así era la historia más triste, prefería ésta a la anterior: ahora tenía la moneda de un héroe, no la de un villano.

7

EN EL OLIVAR

Al día siguiente, Nina se fue con su padre al campo, acompañando a un vecino que iba a construir un pozo en su finca para que bebieran los animales. Nina nunca había visto hacer uno y enseguida se aburrió del monótono trabajo de sacar tierra de un agujero. Así que miró a su alrededor y se puso a caminar. Todo lo que podía ver eran olivos. Corría un vientecillo que movía las hojas afiladas produciendo un sonido como de cascabeles. A Nina le hizo gracia.

No muy lejos de allí había una finca con toros. Nina los podía ver desde el otro lado de una valla que los separaba de ella. Por eso no tenía miedo. De todos modos, tampoco se acercó, por si acaso.

El pozo que estaba haciendo el vecino no era para toros sino para cerdos, de esos que se crían en el campo y de los que salen jamones muy caros. Estaba convencido de que iba a hacerse rico con unos animales que aún no tenía. Nina se acordó de un cuento que leyó cuando era más pequeña: era el de la hija de un rey a la que su madrastra metía en un pozo para que todos la creyeran muerta. Nina no recordaba lo que pasaba después. La verdad es que ese cuento nunca le había gustado demasiado; eso de princesas metidas en pozos le parecía un poco rebuscado, mucho más que el que durmieran cien años o que las despertara un príncipe. Eso aún lo quería creer, pero que vivieran en un pozo... A eso no le veía la gracia.

Nina estaba deseando que se hiciera la hora de volver a casa. Tenía hambre. Ya se había comido el bocadillo que había traído y no había ningún árbol frutal del que robar nada. Las aceitunas estaban muy pequeñas y, además, son frutos que no se pueden comer directamente del árbol. Como no podía hacer nada más, se sentó aburrida junto a un olivo y cerró los ojos mientras escuchaba el viento entre las hojas.

Al cabo de un rato, un golpe en el hombro la despertó: era un niño muy pequeño que se le había subido encima. Tan pequeño era que andaba apoyando sus brazos en el suelo, como a gatas.

—¿Quién eres? ¿De dónde has salido?—le preguntó la niña asombrada.

—Eso debería preguntártelo yo a ti, ¿no crees? Éste es mi árbol y nunca te había visto por aquí.

—¿Tu árbol? ¿Y por qué eres tan pequeño? Nunca había visto a nadie tan pequeñajo.

—Encima me dices «pequeñajo». ¡Lo que me faltaba! Te apoyas en mi casa, haces ruidos y además me insultas. Eres imbécil, niña —le contestó muy enfadado.

—No soy imbécil. He venido con mi padre a hacer un pozo para los animales. Cuando vengan los cerdos te comerán y no quedará de ti nada de nada. Te convertirás en parte de un jamón que alguien se comerá en Japón. Ya lo verás.

—No digas tonterías. Los cerdos no comen duendes.

—¿Eres un duende?

—¿Qué voy a ser si no? Soy el duende de este árbol. Cada árbol tiene uno, y yo soy el de este olivo. Y si eres buena te concederé un deseo, que es lo que solemos hacer los duendes con las niñas que aparecen por sus árboles.

—Antes has dicho que te he molestado, y ahora quieres hacerme un favor. No hay quien te entienda. ¿Todos los duendes sois así de tontos?

—¡Que no soy tonto, niña! A ver si te enteras. Pide un deseo y verás como se te cumple. A ver si así te lo crees.

—Quiero que desaparezcas de mi vista inmediatamente. Ése es mi deseo.

—Qué niña más antipática. Nunca me había encontrado con alguien como tú. Algún día te arrepentirás de no haberme pedido algo más práctico. Me voy. Adiós.

—Adiós, adiós.

—¿Por qué me dices «adiós»? —era la voz del padre de Nina, a su lado.

—¿No te ibas? Ah, papá, eres tú —Nina miró a su alrededor y sólo lo vio a él.

—¿Quién iba a ser si no? Te has quedado dormida. Venga, vamos a casa. Marcos no ha terminado. Hay que volver esta tarde, pero antes hay que comer.

—¿Y el duende?

—¿Qué duende? Has estado soñando. Te has quedado dormida y...

—No estaba dormida. Lo he visto. Era un niño muy pequeño, me ha dicho que era un duende y que me concedía un deseo. Yo...

—Nina, lo has soñado. Venga, vámonos.

El padre de Nina pensó por un momento que a lo mejor su hija estaba también mal de la cabeza. Porque el padre de Nina de verdad creía que la abuela Amelia estaba enferma. Por eso la querían meter en esa residencia de Madrid. Por eso y porque, además, así estaría más cerca de todos los hijos.

Más cerca de los hijos, pero más lejos de su casa y de su naranjo. A Nina no le gustaba la idea. Y a Amelia tampoco. Además, Nina sabía que su abuela no estaba loca. De vez en cuando se le olvidaba alguna cosa, pero nada más; a su madre le pasaba constantemente y nadie la quería llevar a ese sitio. Ella decía que era porque tenía demasiadas cosas en la cabeza. También Amelia tenía muchas cosas, historias preciosas que le contaba a Nina, que nunca había disfrutado tanto.

Llegaron al pueblo después de recorrer caminos de tierra desde los que sólo se veían olivos y más olivos, y toros negros en la lejanía. Se encontraron con dos hombres a caballo. Marcos habló con ellos sin bajarse del coche. Eran los dueños de la finca para los que trabajaba. El más viejo llevaba un sombrero cordobés; el joven, una gorra de visera del mismo color que las hojas de los olivos. A Nina le pareció guapo, y en aquel momento le habría gustado pa-sear con él por el campo. Pero él ni siquiera se dio cuenta de que en el asiento trasero del coche había una niña que acababa de soñar con un duende. Hay muchas personas así, que no ven nada aunque lo tengan delante de sus narices.

8

LA MONTAÑA DE COLORES

Una tarde, Nina y su abuela salieron a dar un paseo por el campo. Los olivos parecían ir y venir sobre las suaves colinas que recortaban el cielo anaranjado de la tarde. El sol empezaba a ponerse detrás de una de las colinas y la sombra comenzaba a cubrir los árboles, que parecían más oscuros que un rato antes, cuando salieron de casa. A lo lejos se veían las montañas altas que aún guardaban nieve en algún rincón.

—Abuela, ¿has estado alguna vez en aquellas montañas?

—Sí, muchas veces. Cuando era joven. Ahora, ya ves, apenas puedo andar con la ayuda de este bastón.

—¿Y qué cosas te gustaba hacer en la montaña? A mí me gusta esquiar. En verano también subimos a caminar, pero me canso.

—Yo cuando tenía tu edad no me cansaba. Subíamos en verano, entonces nadie iba a esquiar. Me gustaba coger bayas y hacer mermeladas. Ahora las compro en el supermercado. Es más fácil: abres el bote y ¡a comer! También me gustaba sentarme y contemplar los colores. Los tonos marrones de los troncos de los pinos; los grises de los abedules; los rojos y amarillos de las hojas cuando va llegando el otoño; los azules, violetas, rosas, blancos, dorados de las miles de flores que salpican toda la montaña; las violetas de los bosques, las campanillas, los dientes de león y las orquídeas silvestres. Tienen todos los colores. Igual que las mariposas: las pequeñas, azules; las grandes, marrones y rojas; las medianas, amarillas y blancas. Colores que vuelan y que se posan sobre otros colores y éstos sobre otros con el fondo claro y oscuro de las rocas de la montaña. Es como una alfombra en la que se proyectara una película, y otra y otra. Cada día los colores son distintos: cada semana cambian las flores. Cada hora cambia la luz del sol y su proyección sobre la montaña. Sólo hay que sentarse y contemplar lo que va pasando delante de los ojos, como en el cine. Y escuchar las voces del agua y los cantos de los pájaros, tan diferentes unos de otros: los jilgueros, los ruiseñores, las lechuzas.

—¿Hay lechuzas en la montaña, abuela?

—Sí, muchas, y por la tarde se las oye cuando ya se pone el sol. A esta hora habrá decenas llamándose. Y los pájaros carpinteros, que emiten su sonido como si estuvieran llamando a la puerta del árbol para poder entrar; y el cuco, cuyo silbido se oye en todo el bosque.

—¿Como el del reloj del comedor?

—Parecido. —La abuela sonrió ante el comentario de Nina—. Ese reloj me lo trajo tu padre después de su viaje de novios a Suiza. Nunca me gustó, pero no se lo digas a nadie. El pájaro entra y sale para dar las horas con un sonido parecido vagamente al del cuco de verdad. No me gustan los relojes que dan las horas, las campanadas y esas cosas. Me recuerdan constantemente que el tiempo está pasando. No me gusta. Soy demasiado vieja para que me den la tabarra con eso. Te diré una cosa, pero no se la digas tampoco a nadie: cuando estoy sola desconecto ese reloj, lo dejo parado. Sólo le doy cuerda cuando sé que va a venir tu padre, ¡que no se entere! —Amelia le dio un suave codazo cómplice a Nina, que sonrió. Cada rato tenía más claro que su abuela no estaba loca.

—Entonces, ¿sabías que íbamos a venir?

—No lo sabía, pero lo sospechaba.

Nina se quedó callada unos segundos.

—Abuela.

—¿Qué?

—Me gustaría subir a esa montaña contigo.

—Ay, Nina, tendrás que buscarte otro acompañante para ir allá arriba. Yo ya no puedo. Sólo llego con mis recuerdos pero no con mis piernas.

—¿Y si subimos con el coche?

—No, el coche llega sólo hasta donde no hay flores, ni mariposas, ni agua limpia. Hay que ir a pie para vivir la montaña de verdad. La montaña sólo se muestra a los caminantes que no la perturban con motores, con olores de gasolina o con basuras. Pero tú tienes muchas montañas cerca de tu pueblo. Puedes ir cuando quieras.

—Ya, pero allí son muy altas y hay que andar mucho. Nunca he llegado a ninguna cima. Todavía no. Esta montaña que vemos desde aquí parece más suave. Es como si fuera, no sé, más amable.

—Es amable, tienes razón. Es una montaña amable, querida Nina.

—Abuela, ¿huele la montaña?

—Sí, Nina, hay muchos diferentes olores en la montaña: las flores huelen para que vengan las mariposas y los otros insectos para libar su néctar. Las abejas hacen miel de las flores de la montaña. La miel que desayunas cada mañana viene de ahí. El boj, que es un arbusto de hojas pequeñas y duras, huele sobre todo después de llover. El humo de las chimeneas de las cabañas y de los refugios huele. Cada tipo de leña huele de un modo diferente: el abedul es más dulce, como una naranja; el pino es más fresco; algunos abetos huelen igual que el jabón de fregar los platos. Aspirar los aromas de la montaña es uno de los mayores placeres que aún puedo imaginar.

—En las montañas que hay cerca de mi pueblo también hay mucho boj. Cada vez que estamos cerca, mi padre aspira fuerte y me lo recuerda.

—Sí, es verdad, allá también es muy fresco. No han padecido el humo cercano de ningún motor de autobús. Sí, Nina, la montaña huele, sabe, tiene color; en fin, que es un arco iris de colores, olores y sabores.

—Frutas, mermeladas, agua, miel... Casi podríamos sobrevivir con lo que la montaña nos da, abuela.

—Has dicho bien, Nina, «lo que la montaña nos da», que es mucho. Algún día subirás hasta la cima. Arriba te sentirás grande y pequeña a la vez.

—¿Grande y pequeña? ¿Cómo puede ser eso?

—Te sentirás grande porque habrás conseguido subir hasta arriba después de un esfuerzo importante; habrás dejado atrás los bosques y las zonas donde ya no crecen árboles a causa de la altura y del crudo invierno a esa altitud; habrás cruzado neveros, desfiladeros, habrás sufrido el pánico al abismo en los barrancos, habrás atravesado ríos, habrás bebido aguas heladas de las cascadas, habrás tropezado más de una vez, te habrás caído y te habrás hecho daño en la rodilla. Te habrás levantado tantas veces como te hayas caído. Pero habrás conseguido llegar a la meta y te sentirás grande porque habrás vencido todos los miedos, y te sentirás bien. Pero también te sentirás pequeña porque desde la cima contemplarás una parte de la grandeza del mundo. Nadie te podrá ver desde abajo, te darás cuenta de que no eres más que un ser insignificante en medio de las montañas, de los bosques, de la Tierra. No mucho más grande que una flor o que una hormiga, más pequeña que un árbol, más silenciosa que un río, más oscura que la nieve, más frágil que la roca por la que habrás tenido que trepar para llegar hasta arriba. Así somos, grandes y pequeños, y así nos sentimos al mismo tiempo.

En esta conversación estaban cuando llegaron al pueblo y entraron en la casa. Ya era de noche y la madre de Nina había preparado la cena. Amelia tomó un poco de sopa y se fue a la cama. Estaba cansada después de un paseo con tantos recuerdos.

—¿Ves? Cada día está peor, no puede estar sola en esta casa. Se cansa enseguida —dijo la madre de Nina a su marido.

—¿Cansada? —replicó la niña—. Hoy hemos dado un largo paseo. No está más cansada que yo.

—Vamos, Nina, ¿qué sabes tú? La abuela está mal. Pierde la memoria. No sabe...

—¿Que pierde la memoria? ¿Qué sabéis vosotros de la memoria de la abuela, si apenas habláis con ella ni dejáis que os hable? A mí me está contando muchas cosas que pasaron hace tiempo, y que ella hizo, y que...

—Sí, pero no recuerda lo que acaba de hacer y eso puede resultar peligroso para ella.

—La abuela tiene más memoria que tú, papá, y que tú, mamá, y que yo. Me ha contado cosas que ninguno de los dos sabéis porque nunca habéis tenido curiosidad por conocerlas.

—No es así, Nina, no juzgues sin saber—exclamó su madre.

—Yo estoy aprendiendo mucho con la abuela Amelia.

—Sí, lo sé —continuó Magdalena—. La abuela te cuenta historias, leyendas o cuentos que ella se inventa. Eso está muy bien, Nina, pero no quiere decir que su salud sea buena. Con su enfermedad, las personas recuerdan lo que aprendieron hace tiempo, pero no lo que ocurre a su alrededor en este momento.

—Tú lo has dicho, mamá. Si son leyendas, es que alguien se las contó y tiene buena memoria. O si, como dices, se las inventa, es que su cabeza funciona muy bien; yo no sería capaz de inventarme todas esas historias, ni tú tampoco, mamá. Yo no creo que la abuela esté tan mal.

—Ojalá tuvieras razón, Nina, ojalá. Me voy a la cama. Este olor a azahares me provoca un dolor de cabeza terrible. Hasta mañana.

Esa noche Nina soñó con montañas de colores y con mariposas azules que revoloteaban sobre un tapiz de flores amarillas. En un camino de color verde claro, su abuela la llamaba. Nina avanzaba hacia ella, pero no conseguía alcanzarla. Pero Amelia no dejaba de sonreír. Durmió tan profundamente que no oyó los truenos de la tormenta que hubo durante casi toda la noche.

9

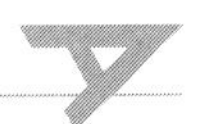

UN PIRATA EN LA FAMILIA

Amelia estaba recogiendo uno a uno los pétalos de las rosas que habían caído durante la tormenta de la noche anterior. Los tomaba con sumo cuidado y los depositaba en un recipiente de cerámica, de esos que tienen una granada pintada en el fondo y que tanto gustaban a Nina. También cogió algunas rosas frescas que estaban empezando a abrirse demasiado.

—Abuela, ¿por qué coges esas rosas?

—Ah, Nina, eres tú. Cojo los pétalos de las rosas, ya ves.

—¿Y para qué? —La curiosidad de Nina sobre todo lo que tenía que ver con su abuela iba en aumento.

—Para hacer gelatina, dulces de gelatina. Quiero que os los llevéis a las tierras frías. Hace muchos años que no hago, así que ninguno de vosotros los ha probado, ni siquiera tu padre. Esta mañana, al hojear un libro de poemas que está en la biblioteca y que le gustaba mucho a mi madre, se ha caído un papel que había dentro; y, mira por dónde, ahí estaba la receta. Así que he salido al patio a recoger pétalos. La tormenta ha tirado muchos, pero no importa, servirán igualmente.

—¿Una gelatina de rosas? ¿Las rosas se pueden comer? Es la primera vez que lo oigo.

—Siempre hay una primera vez para oír algo. Te quedan muchas «primeras veces» todavía, Nina. Y la respuesta es sí. Verás, es una vieja receta. Mi madre solía hacerla, y mi abuela. Y yo con ellas, de pequeña. La había olvidado, y de pronto me ha caído a las manos el papel con la receta. Mira. —La abuela sacó un pliego doblado de papel amarillento del bolsillo—. Es la letra de mi madre, tan regular, tan inclinada, tan bonita. Nunca conseguí escribir tan bien como ella. ¡Qué le vamos a hacer! Aquí puso que hay que pesar los pétalos, el azúcar, cocer todo con agua durante varias horas y luego esperar a que se enfríe, meter almendras o pistachos o avellanas, o no meter nada, y cortar la gelatina en forma de cubitos y recubrirlos con azúcar molida.

—Suena muy bien, abuela. Nunca hubiera pensado que las rosas se pudieran comer.

—Pues ya ves, se pueden comer como gelatina, como mermelada y beber como jarabe. Se pueden hacer muchas cosas con las rosas.

—¿Y fue la bisabuela la que inventó la receta?

—Ah, no. Viene de muchos años atrás. Mi abuela me contó que a ella se la pasó su abuela, a ésta su madre, y así hasta llegar a alguna tatarabuela de tiempos remotos, creo que del siglo XVII. Desde entonces la receta está en nuestra familia. Ahora serás tú la depositaria del secreto. Copiarás este papel con mucho cuidado y lo guardarás, y harás esta gelatina en cuanto tengas una casa con un patio y con rosas. Me lo has de prometer.

—Sí, abuela. ¿Y dices que es de hace cuatrocientos años? —Nina estaba fascinada con las historias que Amelia le contaba del pasado—. ¿También es de cuando los árabes estaban aquí?

—Nina, a los árabes los echaron los Reyes Católicos en 1492, y no en el siglo XVII; a ver si estudias un poco más de historia en la escuela. En el siglo XVII, una mujer de nuestra familia trajo esta receta desde tierras muy lejanas.

—¿Una mujer de nuestra familia la trajo desde tierras lejanas? —Nina no podía creer lo que estaba escuchando.

—Sí, así es. Todas las mujeres de nuestra familia han hecho esta receta desde entonces. Al menos eso es lo que me contaba mi abuela.

—¿Tu abuela? —preguntó Nina—. ¿Tu abuela también contaba historias?

—Sí, mi abuela también contaba historias. Y también se llamaba Amelia. En aquellos años había muchos barcos piratas en el Mediterráneo.

—¿En los años de tu abuela había piratas?

—No, en los años en que ocurrió lo que te voy a contar.

Nina sabía algunas cosas sobre los piratas por el poema de Espronceda que su padre recitaba los domingos antes de comer, como aperitivo, y por algunas viejas películas de aventuras que de vez en cuando ponían los domingos por la tarde en televisión. También había oído hablar de piratas en el telediario. Pero ésos estaban lejos, en algunas costas africanas, llevaban armas automáticas y no se parecían a los piratas de las novelas. Nina no se podía imaginar que alguna antepasada suya tuviera algo que ver con ellos, como Ailema, la chica del harén. Por eso su boca se abrió esta vez más que nunca, como si quisiera oír el relato de Amelia a través de sus oídos y también a través de su boca.

—Piratas —respondió su abuela, que estaba encantada de tener por fin a alguna persona que la escuchara—. Con sus barcos de velas desplegadas, escondidos en las ensenadas de las costas, esperando avistar algún galeón español lleno de oro para apresarlo. Había piratas turcos, argelinos, genoveses, ingleses, de todos los sitios. Y había muchos navíos cargados con riquezas que viajaban desde las costas españolas a Nápoles o a Sicilia, o al revés. En uno de aquellos buques viajaba una joven española que había nacido en Nápoles en una rica familia de mercaderes de sedas y de porcelanas.

—¿Cómo era española si había nacido en Nápoles? Nápoles está en Italia, eso sí lo he estudiado en el cole. Y un galéon es un barco, ¿no?

—Sí, un tipo especial de barco. Por aquel entonces Nápoles pertenecía a la Corona española, más o menos. No me interrumpas y deja que continúe con mi historia. Aquella joven venía para casarse con otro rico comerciante de telas de la costa valenciana. Ella se llamaba Angélica. Sus familias habían acordado su boda sin que los jóvenes se conocieran. Entonces, esto pasaba con frecuencia.

—Ahora ya no —dijo Nina convencida.

—Aquí no. Pero todavía ocurre en muchos lugares del mundo.

—Eso no puede ser —protestó.

—Pues pasa. En muchos sitios las chicas se casan con quienes otras personas deciden. Es como lo de los niños que trabajan en vez de ir a la escuela. Pasan muchas cosas en el mundo que no deberían suceder. Pero volvamos a nuestra historia, y no me interrumpas, por favor. El caso es que la chica tenía que obedecer y embarcó rumbo a Valencia. Dos días después, el mar se embraveció y el bajel perdió el rumbo.

—¿Qué es un bajel?

—Un barco, Nina, un barco. —Amelia meneó la cabeza de un lado a otro. A veces le sorprendía que Nina supiera tan pocas cosas.

—Pero un galeón también es un barco.

—Sí, Nina, son diferentes tipos de barco. Cada uno tiene un nombre.

—Pues vaya lío, abuela. Imagínate que a cada tipo de silla le pusieran un nombre, o a cada mesa. Así no hay quien se aclare, con tantas palabras.

Amelia no estaba dispuesta a dar a su nieta una clase de Lengua en medio de la historia de su misteriosa antepasada, así que continuó:

—Al día siguiente de perder el rumbo avistaron otra nave a lo lejos. Al principio pensaron que pertenecía a la Armada española y le hicieron señales para que acudiera en su ayuda. Pero resultó ser un bajel turco, un barco pirata. Cuando se dieron cuenta, era demasiado tarde y fueron abordados. El capitán era un joven fuerte, de pelo y piel oscura, y de modales refinados a pesar de todos los cuchillos que llevaba. Vestía con sedas y telas de damasco aun en el momento del abordaje. En cuanto vio a Angélica se quedó tan prendado de ella que en el despiste casi lo mata uno de los marineros del galeón. Pero él fue más rápido y lo atravesó con su sable.

—¡Qué bestia, abuela!

—¿Qué quieres? Todos eran unos brutos, los piratas y los que no lo eran. El caso es que Angélica también se quedó embobada mirando a aquel hombre fuerte, guapo y bestia, que en nada se parecía a los graves, serios y oscuros hombres con los que había convivido hasta entonces. Él la tomó en sus brazos y la sacó del fragor de la batalla. La llevó a su barco y la encerró en su propio camarote. Angélica no sabía qué había pasado con los marineros de su buque; sólo vio cómo partían. Al poco rato, el capitán turco entró con un baúl que contenía sus ropas, sus joyas y su ajuar de porcelanas napolitanas y de cristales venecianos que tanto le gustaba; otro hombre, de aspecto más brutal y al que le faltaba el ojo derecho, entró después con un arcón lleno de monedas de oro que pertenecían a los comerciantes que viajaban en el galeón. Angélica, callada, miraba a los hombres, que hablaban e iban de aquí para allá, y no entendía nada de lo que decían. El hombre grande, que parecía obedecer las órdenes del más joven, se marchó al poco rato. El capitán, entonces, la obligó a comer una extraña sopa de verduras, cuyos sabores desconocía, demasiado picante para su gusto. Luego sacó uno de los platos de porcelana del ajuar y lo llenó con unos dados blancos que Angélica, hambrienta, se llevó a la boca. Se le fueron deshaciendo dentro y sabían a rosas. Estaban hechos de gelatina de rosas. Debió de poner tal cara de gusto que el capitán sonrió por primera vez y se acercó a ella. Esta vez fue él mismo quien puso uno de aquellos daditos entre los labios de Angélica, pero ella le mordió el dedo tan fuerte que le hizo sangre. El pirata estuvo a punto de pegarle una bofetada, pero se contuvo. Sin embargo, insistió con otro de aquellos dulces, y esta vez ella lo aceptó. A partir de aquel día, y hasta que llegaron a Estambul, Angélica tuvo que tomar la gelatina.

»El pirata, que se llamaba Erdal, la llevó a su casa y la hizo su esposa. Angélica aprovechó aquel tiempo para aprender a hacer aquellos deliciosos dulces con la ayuda de la madre de su esposo.

»Todo fue bien hasta que un día llegó un barco con un baúl lleno de monedas de oro españolas. Era el rescate que el prometido valenciano de Angélica enviaba para recuperarla. Erdal lo mandó de vuelta a su puerto con una carta de ella en la que decía que se quedaba en Estambul con su marido y su hija, pues de tantas noches entre rosas y gelatinas se había quedado embarazada.

»Pasaron los años y la niña creció. Un día, el pirata murió en una emboscada en la costa sur de Turquía. Entre los turcos era costumbre que las mujeres viudas se volvieran a casar enseguida, pero eso era algo que ella no quería hacer. El recuerdo de Erdal era demasiado dulce como para querer compartir su vida con otro hombre. Así que Angélica decidió volver a Nápoles. Mandó fletar de nuevo el barco de su marido, vendió casi todas sus joyas y sus muebles para pagar a la tripulación, ordenó poner la bandera aragonesa...

—¿Aragonesa? —interrumpió Nina.

—Sí, Nápoles pertenecía a la Corona de Aragón —explicó Amelia—. Izaron velas, levaron anclas y después de una semana llegaron al golfo de Nápoles, con el Vesubio humeando al fondo. Se dirigió hasta su casa, pero allí ya no vivía nadie de su familia. Le dijeron que sus padres habían muerto y que su hermano había vuelto a España. Así que no tenía más remedio que ponerse rumbo a la Península. Esta vez tuvo que vender casi todo lo que le quedaba para pagar a los marineros, porque tenían miedo de acercarse a las costas españolas y ser apresados. En cualquier caso, al final encontró a su familia, que vivía en un lugar cerca de Almería. Pero su hermano nada quiso saber de ella por haberse casado con un infiel.

»A Angélica sólo le quedaba una joya, que tuvo que vender: un gran broche de esmeraldas y rubíes que su marido le había regalado y que había pertenecido a una emperatriz de Persia. Con el dinero que le dieron, pagó la dote de su hija, que se casó con un acomodado comerciante de sedas y damascos que frecuentaba la ciudad de Venecia. Ella se metió en un convento porque era la única salida que le quedaba en aquel tiempo. Allí acabó sus días después de enseñar a su hija la receta de la gelatina de rosas, claro. Su hija se llamaba Amelia, como yo, y desde entonces la familia ha mantenido la tradición de que al menos cada dos generaciones una de las niñas se llame Amelia o Angélica. Tu madre se ha encargado de romperla poniéndote un nombre tan aburrido como «Nina», que es un nombre que no va a ningún lado.

Pero Nina no se ofendió con el comentario de su abuela sobre su nombre y sobre su madre.

—¿Y Amelia vino luego a Carmona?

—No sé si fue una Amelia o una Angélica la primera en venir. Creo que casi todos mis tatarabuelos eran de Almería y se trasladaron aquí. Compraron olivos en estas tierras y en ellas se instalaron, pero nuestras raíces están en Almería y en algún lejano puerto de Turquía. Porque el padre de Amelia era el pirata turco, no lo olvides.

—Así que por mis venas corre sangre de piratas —añadió Nina mientras se miraba alternativamente las venas de sus brazos.

Magdalena salió al patio justo en el momento en que su hija hacía ese comentario.

—¿Qué es eso de que tienes sangre pirata?

—Eso parece, mamá. Resulta que un abuelo de una abuela de una abuela de una abuela de una abuela de la abuela era un pirata turco. Se llamaba Erdal, tenía un barco y secuestró a Angélica y luego...

Pero la madre no la dejó terminar.

—Amelia, le he pedido muchas veces que deje de contar esas historias absurdas a la niña. Luego no podrá dormir.

—Claro que sí, hijita, y soñará con piratas vestidos de seda y con galeones con las velas desplegadas repletos de tesoros, de porcelanas de Nápoles y de cristales de Venecia. ¿Tiene eso algo de malo? No creo. Además, no me he inventado nada. Es la verdad.

—¡Cómo va a ser verdad que un antepasado de la familia fuera un pirata turco!

—Espera y verás.

Amelia dejó las rosas en el suelo del patio y subió a su habitación. Abrió el armario y sacó una caja de madera tallada que estaba cerrada con llave. Buscó en la mesilla y de un plumier sacó una pequeña llave. La encajó en la cerradura y la abrió. En la caja había muchos papeles, que Amelia dejó a un lado, y varias cajitas más pequeñas, todas ellas de madera labrada y con incrustaciones de nácar. Se asomó a la ventana y llamó a su nieta y a su nuera.

—Subid un momento a mi habitación, por favor.

Al llegar arriba, Amelia estaba sentada sobre la cama, en la que había dispuesto todas las cajitas de madera y nácar.

—Sin duda, cualquier anticuario podrá decirte, hija, que estos objetos no están hechos ayer. Esto es lo que queda de las riquezas que Angélica trajo de Oriente: las cajas de las joyas que tuvo que vender para que un barco la trajera de vuelta a España y para que su hija se casara.

—Vamos, Amelia, no me estarás diciendo que son auténticas.

—Por supuesto que lo son. No las he adquirido en ningún «Mercado Oriental» de unos grandes almacenes donde seguramente tú compras tus vestidos y los cereales del desayuno. Me las dio mi madre, y a ésta su madre, y así hasta llegar a Amelia y a Angélica, que las trajeron desde Turquía.

—Esto es un verdadero tesoro, mamá —dijo Nina, a la que no importaba nada que las cajas estuvieran ahora vacías.

—Sería un tesoro si tuviera las joyas que, según tu abuela, contenían en el pasado.

—Sí, incluido el broche de esmeraldas que había pertenecido a una emperatriz —dijo Amelia.

—¿De esmeraldas, dices? ¿En una de estas cajas? —Los ojos de Magdalena brillaron con un destello repentino.

—Sí, el pirata se lo regaló a Angélica después del saqueo de un palacio persa.

—Bueno, bueno, dejémoslo por hoy. Y vale, me creo la historia del pirata. Pero ¿para qué estaba cogiendo las rosas y quitándoles los pétalos?

—Es la misma historia. Son para hacer unos dulces que la madre del pirata enseñó a mi antepasada Angélica, y que esta semana tú misma podrás probar. Y saborear.

—Me rindo, Amelia, me rindo —dijo la madre de Nina mientras se disponía a salir del dormitorio de la abuela.

—Y tú, querida Magdalena, empieza a creerte las historias que cuento. Te harían mucho bien.

Abuela y nieta pasaron el día tranquilamente, en la cocina, haciendo la gelatina de rosas, que tomaron como postre en la comida y en la cena. Cuando salieron las estrellas, Amelia ya estaba muy cansada. Hubiese querido contarle otra historia a su nieta, pero tenía más ganas de meterse en la cama y dormir.

—Nina, querida. Mira las estrellas. Hoy me parecen más brillantes que otros días.

—Quédate un rato conmigo en el patio, abuela, y me cuentas otra historia, ¿vale?

—No, hoy no. Ya hemos tenido suficiente con la del pirata y Angélica. Pero te prometo que mañana te contaré un relato muy especial.

—¿Muy especial? —preguntó Nina, muy interesada.

—Sí, tan especial como esas estrellas que vemos ahí arriba.

—¿Hay estrellas en el cuento, abuela?

—Sí.

Amelia se fue a la cama y Nina se quedó un rato en el balancín, mirando las estrellas. Se durmió allí mismo, y su padre tuvo que subirla en brazos hasta su cama. Aquella noche soñó con un barco pirata en medio de un mar embravecido y oscuro, iluminado por las luces centelleantes que llegaban del cielo.

10 

EL NIÑO QUE SE ENAMORÓ DE UNA ESTRELLA

Cuando terminaron de desayunar, Nina no pudo esperar hasta la tarde para volver a preguntarle a Amelia por aquella historia prometida la noche anterior sobre las estrellas.

—Vale, de acuerdo, te la contaré. Pero quiero que estés muy atenta. Es algo que me contó mi madre, y a ésta su madre, y a ésta la suya, y así hasta...

—¿Hasta la chica que vino de Turquía? —le interrumpió Nina.

—Pues no. Esta historia no viene de allá, sino del desierto de Túnez.

—¿Y por qué tus abuelas sabían historias del desierto de Túnez?

—¡Y qué sé yo! El caso es que viene de allí. De muy lejos.

—Túnez no está muy lejos. Mi vecino ha ido allí de vacaciones. —A veces la lógica de Nina no era nada lógica. Uno podía irse de vacaciones a China, y no por eso dejaba de estar lejos; pero Nina todavía no conocía muy bien los mapas del mundo.

—Está al otro del mar, y todo lo que está al otro lado del mar está muy lejos. —Para Amelia todo lo que estuviera al otro lado de la estación de su pueblo ya estaba muy lejos. Tampoco su lógica era muy lógica.

—Bueno, es igual, cuéntame esa historia, abuela.

—Bien, pues ahí va.

Y Amelia comenzó su narración como si contara uno de aquellos viejos cuentos de hadas que empezaban:

—Érase una vez un niño que se llamaba Hakim y que vivía en el desierto. Era el hijo pequeño de una familia pobre de tuaregs. Se encargaba de limpiar los camellos y de ordeñar las cabras del rebaño. También ayudaba a levantar las jaimas cuando la caravana encontraba un oasis y pasaban allí unos días.

—Abuela, ¿qué son las jaimas?

—Nina, no me interrumpas o no te contaré la historia de Hakim.

—Vale, prometo no cortarte más, pero dime qué es una jaima.

—Las jaimas son una especie de tienda de campaña, de tela, en las que viven los tuaregs, los hombres del desierto, que son nómadas y llevan su casa a lomos de los camellos. Por eso sus casas son jaimas, es decir, tiendas. Ahora, déjame continuar hasta el final, ¿de acuerdo?

—De acuerdo. —Nina tenía que hacer un gran esfuerzo para estarse callada, escuchando sin interrupción lo que Amelia le contara. No estaba acostumbrada, y aunque le fascinaba escuchar la voz envolvente de su abuela y las historias que contaba, tenía que concentrarse mucho para no perder el hilo. Amelia continuó con su narración.

—Hakim tenía siete años y trabajaba durante todo el día. Su padre era pastor de cabras, y su madre y sus hermanas hacían tortas y queso con la leche que él y sus hermanos mayores obtenían. Como era muy pequeño, importunaba a los camellos cuando los limpiaba y a veces recibía alguna coz.

»En el desierto hace mucho calor durante el día. Así que para protegerse del sol y de la arena, Hakim y los demás llevaban siempre mucha ropa que les tapaba casi toda la piel. La cabeza y gran parte de la cara la cubrían con turbantes y pañuelos. Durante el día apenas se podían ver los ojos negros y brillantes de Hakim, que miraban las formas de las dunas que el aire iba creando a su antojo.

»Por la noche el mundo era diferente, y Hakim también. No hacía tanto calor, el sol desaparecía durante unas cuantas horas y el viento descansaba, de manera que la arena se quedaba en su sitio. Entonces, Hakim se quitaba su turbante, su pañuelo y algunas de sus ropas. Empezaba por sentarse a la entrada de la jaima de su familia. Su cabello negro y rizado enmarcaba su cara, y sus labios gruesos bebían grandes vasos de leche de cabra.

»Hakim, por la noche, no miraba las dunas, sino las estrellas. En el desierto, parece que las estrellas son más grandes y brillan con más intensidad. Por eso a Hakim le gustaba beber un gran cuenco de leche, sentarse en una de las dunas y ponerse a contemplar el cielo. Conocía todas las estrellas. Hakim no veía osas mayores ni menores, ni balanzas, ni vías lácteas. Él encontraba camellos, cabras, jaimas y las curvas de las dunas en el cielo, porque su mundo del desierto se reflejaba en el espejo del firmamento.

»Por la noche, Hakim era feliz: las luces brillaban, el cielo permanecía inmóvil y la noche era fresca. Los ojos del niño también brillaban más cuando el sol desaparecía.

»La estrella preferida de Hakim era una pequeña que brillaba poco y que estaba muy, muy lejos. Primero localizaba en el cielo un camello muy grande y después, a su derecha, encontraba su estrella. Luego comprobaba que todos los camellos, las jaimas, las cabras y las dunas estaban en su sitio, y Hakim volvía a quedarse mucho rato contemplándola a ella, que era tan chiquita y tan poca cosa como él. Aquél era un momento de intimidad compartida. Los ojos negros de Hakim, que enrojecían de mirarla con tanta intensidad, en esos momentos parecían brillar aún más.

»Sin embargo, Hakim estaba siempre tan cansado después de un duro día de trabajo que no podía quedarse mucho tiempo sentado en la duna. Aunque no tenía sueño, sabía que debía irse a dormir. «No importa —pensaba—, mañana ella seguirá ahí y volveremos a estar juntos otro ratito».

»Hakim soñaba con camellos, con dunas, con jaimas, con cabras y con estrellas.

»Una tarde, después de una larga jornada, la caravana llegó a un oasis de montaña. Era un sitio hermoso: las dunas habían sido sustituidas por las rocas, y cientos de palmeras crecían por todos los lados. Hakim y sus hermanos recolectaron muchísimos dátiles, que toda la familia cenó junto a uno de los quesos que la madre había hecho la semana anterior. También Hakim ayudó a sus hermanas a sacar agua del pozo con un cubo que era casi más grande que él. El niño estaba contento: tenían agua fresca y muchos dátiles, y por la noche, además, podría ver más cerca las estrellas desde las colinas. Estaba seguro de que serían más grandes y brillantes.

»Cuando la familia terminó de cenar, Hakim, como todas las noches, se sentó primero a la entrada de la tienda a beber su cuenco de leche. Cuando acabó, subió a la colina más alta, la que estaba por encima de las palmeras donde había recogido los dátiles. Se sentó en la cima y se puso a contemplar el cielo.

»Sí, allí estaban los camellos de siempre, las dunas de siempre, las cabras de siempre, las jaimas de siempre. Cuando terminó de comprobar que el mundo de arriba se correspondía con el mundo de abajo, fue a buscar con sus ojos a su estrella, la más pequeña y lejana. La buscó mil veces. Se restregó los ojos; con las manos primero, y con las mangas después. Nada. La estrella, su estrella, había desaparecido.

»Hakim bajó de las rocas del oasis triste, muy triste. Se lavó los ojos, las manos y el cuello en un riachuelo que salía de un pequeño manantial. Había llorado, y no quería que nadie se diera cuenta. ¿Cómo iba a explicar que su estrella lo había abandonado? Nadie lo entendería.

»Pero en la caravana había un hombre sabio. Él sí tendría una respuesta. Todos habían perdido ya la cuenta de los años que tenía Alí, la persona más vieja de la caravana. Se movía con un bastón, aunque todavía era capaz de subirse solo a su viejo camello, un precioso ejemplar blanco, el más alto y claro del grupo. Hakim limpiaba al animal muy a menudo, era su favorito y uno de los pocos camellos que no le coceaba. Cuando parpadeaba delante de Hakim, parecía que le sonreía. Además, en el firmamento era el que estaba al lado de su estrella perdida. Sí, Hakim hablaría con el viejo Alí y le contaría lo que había ocurrido.

»Se pasó el día recogiendo dátiles, agua y ordeñando las cabras. Esperaba con impaciencia el momento en que el sol se escondiera tras las dunas del oeste para entrar en la jaima del anciano. Cenó con su familia, se bebió su leche y, en vez de subir a la colina para ver el cielo, se encaminó a la tienda de Alí, el dueño del camello blanco.

»—Alí, señor del desierto, vengo a haceros una consulta importante —dijo Hakim, muy educado, cuando entró en la morada del anciano.

»Éste tomaba su té dulce con menta, y le ofreció uno en silencio al niño, que tuvo que aceptarlo, aunque se acababa de beber su leche, porque no podía desairar al anciano rechazando su ofrecimiento. Se sentó en la alfombra que Alí le indicó con una mano, y ambos bebieron su té antes de empezar a hablar.

»—¿Qué quieres, pequeño? —preguntó por fin el sabio al niño.

»—Señor del desierto, mi estrella ha desaparecido del cielo.

»El anciano miró con extrañeza a Hakim.

»—¿Has dicho «mi estrella»? ¿O tal vez he oído mal?

»—Eso he dicho, señor del desierto, mi estrella, la que está en el cielo al lado de un gran camello. Ha desaparecido, ya no está. Ahora ya no tengo una estrella para mí solo.

»—Pequeño Hakim —contestó el anciano sabio—, las estrellas no son de nadie, están allá arriba y no tienen ningún amo ni señor. La estrella que crees de tu propiedad se habrá dado cuenta de que la tratabas como si fueses su dueño y se habrá ido, temiendo que alguien como tú la pudiese hacer bajar hasta la Tierra. Tú mismo la has hecho desaparecer.

»Las lágrimas empezaron a caer por las oscuras mejillas de Hakim. Era terrible que su amor por la estrella la hubiera alejado de él para siempre. ¡Para siempre! No, eso no podía ser. Seguro que habría un modo de que volviera al techo de la noche.

»—Sabio señor del desierto —dijo mientras seguía sentado con las piernas cruzadas sobre una de las viejas alfombras de la tienda—, por mi culpa se ha ido la estrella. ¿Qué puedo hacer para que vuelva?

»El anciano sonrió. Entendía perfectamente lo que sentía el pequeño. Hacía muchos, muchos años, él también se había enamorado de una.

»—Hakim, cuando una estrella se va, es muy difícil hacerla volver, pero no imposible. Quizás si cumples tres condiciones —dijo mientras miraba los posos del té en el fondo del vaso del niño—, puedas hacerte merecedor de poder volver a mirarla.

»—¿Tres condiciones? Las cumpliré, señor, estad seguro.

»—¿Cómo puedes comprometerte a algo que desconoces todavía? —le preguntó el sabio.

»—Mi vida sin la estrella sería mucho más terrible que cualquier otra cosa. Cruzaré el desierto a pie mientras los demás lo hacen subidos a sus camellos. Me quedaré sin beber agua siete días y siete noches. Me quitaré el turbante mientras camine. Lo que sea...

»—¡Vamos, no seas estúpido! De esta forma no conseguirías otra cosa más que morir y no verías a la estrella nunca más. No, no serán ese tipo de condiciones las que deberás cumplir —dijo el anciano, y se puso a contemplar los posos del té de Hakim.

»—¿Entonces? —preguntó el muchacho.

»—Entonces, escúchame bien. Esto es lo que tendrás que hacer. Primero, desear con todas tus fuerzas que vuelva la estrella al firmamento.

»—Pero señor, si eso ya...

»—Cállate y escucha, Hakim. La primera condición para que algo ocurra es desearlo intensamente. La segunda es no volver a pensar que la estrella te pertenece. Los hombres del desierto no poseen nada, y mucho menos, estrellas. Y la tercera...

»—¿Cuál es, señor? —Hasta ahora todo le parecía fácil de conseguir. Hakim creía todavía que podía dominar su pensamiento.

»—Estaba a punto de decírtelo. ¿Por qué eres tan impaciente? No me extraña que hayas ahuyentado a la pobre estrella. La tercera es... limpiar y cepillar a mi camello todos los días.

»Hakim no entendió muy bien qué relación había entre limpiar y cepillar el camello del viejo y que la estrella apareciera. Aunque, pensándolo bien, como estaba al lado de la figura del camello grande del cielo, a lo mejor sí tenía algo que ver. ¡Uf! ¡Por Alá! Había pensado en *su* estrella. Menos mal que sólo había sido un pensamiento. Pero, claro, la estrella podía leerlos. Tenía que tener más cuidado. Quizás no era tan fácil cumplir las condiciones. Tal vez lo único de verdad sencillo fuese limpiar el bicho.

»Salió de la jaima del anciano, después de darle las gracias y de prometerle que cumpliría los requisitos. El sabio estaba especialmente interesado en la tercera condición, que era la menos sublime, pero la más práctica.

»La caravana abandonó el oasis. Tenía que seguir el camino hasta otro situado más al sur. Antes de desayunar, Hakim cada día quitaba de su vocabulario mental las palabras «mi» y «mía», para evitar referirse a *su* perdón, a la estrella como si fuese de su propiedad. Después, cepillaba con empeño el camello blanco, pero con tanta fuerza que una vez recibió una coz porque lo estaba dejando casi sin piel. Todas las tardes, al acabar de cenar y de beber el cuenco de leche, Hakim subía a la duna más alta para contemplar el cielo y comprobar si la estrella había regresado. Pero era en vano: ella no acudía a aquella cita que sólo él había planeado.

»Pasaron tres lunas y llegaron a otro oasis. Allí había más dátiles que en el anterior, y un agua más fresca y rica. También había algunos muchachos que miraban de una manera rara, pensaba Hakim, a sus hermanas. Y también había un monte mucho más alto que todos los que Hakim jamás había visto.

»A ese monte subió la primera noche, después de beber la leche de cabra sentado en la entrada de la tienda de su familia. Se sentó con la esperanza de todos los días, con la idea de que la estrella volvería esa noche. Fue comprobando que estuvieran todas las figuras: allí vio las jaimas, los camellos, las dunas y las cabras. De pronto... Sí. Sí. Allá arriba, a la izquierda, junto a un pequeño camello, allí estaba, diminuta y temblorosa, como cansada de un largo viaje. Era ella, no tenía la menor duda. Había cambiado de posición, pero estaba allí.

»Hakim se levantó para sentirla más cerca. Cerró los ojos. Le caían lágrimas por las oscuras mejillas. Una suave brisa se levantó y notó la arena en su piel. Sonrió y abrió los ojos. La estrella seguía allí. Estaba seguro de que ya nunca se volvería a marchar. En aquel momento lo comprendió todo. Los hombres del desierto no poseen nada, nadie posee nada. Sólo entonces se dio cuenta de lo lejos que estaban las estrellas.

—Pues no lo entiendo, abuela —repuso Nina, que hasta ese momento se había limitado a escuchar la historia del pequeño Hakim.

—¿Que no entiendes qué? No hay mucho que entender. Es así y ya está.

—Lo que no comprendo es por qué se da cuenta justo en ese momento de que las estrellas están lejos.

—Pues está bien claro, ¡eh! El niño por fin comprende que el hecho de que las estrellas estén o no estén no es algo que dependa de él. Al principio creyó que *su* estrella se había ido por su culpa, porque la quería poseer. Pero en realidad no era así. Nadie posee nada, ni estrellas ni ninguna otra cosa.

—Yo sí poseo mis muñecas, mis libros, mis juegos.

—No lo creas, Nina. Que estén en tu habitación, que los hayas comprado o que te los hayan regalado no significa que sean realmente tuyos. Todo tiene una existencia previa, anterior. Todo está en el

mundo antes de que tengamos una relación con ello: las muñecas, las estrellas. Las personas pueden venir a tu vida (los hijos, los nietos), pero tienen su propia vida, que no es la nuestra. Nadie ni nada es de nadie. Apréndetelo.

Nina se quedó sin entender del todo las palabras de su abuela, pero no siguió preguntando. Quería cerrar los ojos e imaginarse a Hakim sentado en una de aquellas dunas mirando las estrellas. Es más, quería quedarse sola en el columpio y contemplarlas ella también. Quería descubrir por sí sola esos dibujos que forman las estrellas: las osas, la cruz, los peces, la balanza, la Vía Láctea. Quería pasarse toda la noche mirando el cielo. Por eso, cuando acabaron de cenar, dijo:

—Mamá, voy a salir un rato al patio. Quiero ver las estrellas que caigan esta noche.

—¿Esta noche? —preguntó su padre.

—¡Hace frío, Nina! ¡Qué ocurrencia! Pasar la noche al raso para ver estrellas en fuga —dijo su madre.

—No se dice «estrellas en fuga», sino «estrellas fugaces» —le explicó su hija.

Amelia no decía nada. Entendía la intención de Nina y le parecía bien. Con su relato sobre Hakim le había despertado la curiosidad sobre esos mundos lejanos que están más allá del aire que respiramos. Así que sólo añadió:

—Bueno, yo me voy a dormir. Estoy cansada.

—Buenas noches, madre.

—Buenas noches, Amelia, que descanses.

—Buenas noches, abuela. Hasta mañana.

Se quedaron solos Nina, su padre y su madre.

—Me quedaré un ratito. Luego me iré a la cama —prometió Nina.

—De acuerdo —asintió el padre—. Pero no tardes, no vayas a coger frío.

—Sólo un rato, Nina. Tienes que dormir.

Ambos se despidieron de su hija, que salió al patio a sentarse en el balancín. Nina empezó a mover el columpio empujándose con los pies. Así recibía un cierto vientecillo en la cara que le era muy agradable. Pero con el vaivén perdía la visión estática de los dibujos de las constelaciones. Por eso decidió quedarse quieta para observar mejor las estrellas. De pronto, vio una que parecía caer. Sí, era una de aquellas estrellas fugaces. Pidió un deseo antes de que desapareciera del todo. En ese momento hubiera preferido que el patio no tuviera paredes, para poder ver todo el viaje de aquel minúsculo puntito brillante. Sin que Nina lo esperase, otro punto de luz se movió allá arriba, a la izquierda, justo encima del naranjo. Cerró los ojos y pidió el mismo deseo otra vez; y así hasta siete veces, uno por cada una de las estrellas cadentes que pudo ver.

Nina pidió que no mandaran a su abuela a aquella residencia a la que sus padres y sus tíos querían enviarla. Amelia estaba suficientemente bien como para seguir viviendo en su casa, para seguir contando sus historias a todo el que las quisiera escuchar y no para meterla en un lugar cerrado con otras personas que tal vez no la iban a escuchar.

Por fin le entró el sueño y subió a su habitación. No se atrevió a quedarse dormida en el balancín. No quería que alguna de las salamandras que trepaban todas las noches por las tapias del patio se le subiera por las piernas y le diera un mordisco en el ombligo. No quería eso.

Aquella noche, Nina soñó que vivía en una jaima y que tenía un amigo, con la cara de Roberto, que se llamaba Hakim; soñó que ambos paseaban por la noche entre las dunas, y que miraban juntos las estrellas. También soñó que daba leche con un biberón a un pequeño camello que el abuelo de Hakim le había regalado. Y también que su abuela Amelia bailaba una extraña danza con un pañuelo de cascabeles, anudado a la cintura, que sonaban cuando movía la barriga.

Cuando se despertó estaba sudando, como si de verdad hubiera caminado por el desierto norteafricano.

11

EL PASEO A CABALLO

Nina volvió al campo con su padre y su vecino aquella misma mañana. Los trabajadores tenían que terminar aquel pozo para que los animales pudieran tener agua. El agua es un bien demasiado preciado y aquel verano tan seco había hecho que los regatos que llevaban el agua a los abrevaderos no tuvieran ni una gota siquiera. Por eso corría tanta prisa lo de acabar el pozo.

Nina volvió a acompañarlos aquel día. Al principio se quedó a mirar lo que hacían, pero el encalado de la pared redonda y la colocación de ladrillos rojos en la parte superior le parecieron demasiado aburridos. Prefirió salir a merodear entre los olivos y llegar hasta los encinares desde los que se veían los toros del campo vecino. Le daban miedo con sus astas tan afiladas, pero a la vez le atraían.

Se acercó a la verja y divisó a lo lejos a tres caballos con sus caballeros. Uno era más pequeño que los demás. El caballo le venía grande. Era Roberto. A Nina le dio un vuelco inoportuno e inesperado el corazón, que empezó a palpitar más deprisa, signo inequívoco de que el chico no le era indiferente, aunque ella no parecía darse cuenta. Roberto debió de verla también desde su posición elevada de jinete y se dirigió hacia donde ella estaba. El corazón de Nina empezó a galopar tan rápido como los cascos del caballo. Cuando el chico estuvo cerca, la pequeña no sabía si aquello que escuchaba era su corazón o las patas protegidas del equino.

—Hola, Nina, ¿qué haces por aquí?

—He venido a acompañar a mi padre y a un vecino. Están haciendo un pozo para los animales.

—Sí, nosotros también hemos tenido que hacer dos. No ha llovido nada este año.

—¿No te da miedo estar ahí dentro con los toros?

—No, aquí encima del caballo no. Pero no me atrevería a ir andando con ellos a mi alrededor. Mi padre lo hace y Antonio también, pero para mí es demasiado. ¡Oye!

—¿Qué?

—¿Quieres dar una vuelta conmigo y ver los toros más cerca? Son bonitos. No te harán nada.

—Me dan miedo.

—No te preocupes, no te harán daño. Están acostumbrados. No les interesa una niña como tú.

—No soy una niña —dijo Nina muy digna, que no quería que Roberto la considerase pequeña—. Iré contigo. ¿Por dónde paso?

Roberto esperó a que su padre no mirara, fue unos metros hacia atrás, cogió carrerilla con el caballo y saltó la verja. Nina se quedó con la boca abierta.

—¿Dónde has aprendido a hacer una cosa así?

—En la escuela ecuestre. Pero no tiene tanto mérito. Este caballo es estupendo.

—¿Y ahora? Seguro que quieres saltar conmigo. Pero no, eso no, que me da miedo. No he subido a un caballo en toda mi vida. Y no pienso hacerlo en este momento.

—Vamos, anda, ¿por qué te va a dar miedo? Yo controlo el caballo. No te va a pasar nada.

—Pero ahora llevará más peso. A lo mejor no le gusto y nos tira y...

—Nina, no pesas tanto. El caballo está acostumbrado incluso a cargar con más kilos. Venga, sube. Te ayudo.

Roberto bajó del animal para ayudar a Nina, que no sabía cómo se subía a un caballo. La cogió por la cintura y le mandó poner su pie izquierdo en el estribo.

—Ahora, coge impulso y sube.

—¡Ay, que me da miedo, que va a echar a correr y me va a tirar! —A Nina se le salía el corazón, del miedo y de tener a Roberto tan cerca.

—Espera, subiré yo y te cogeré desde arriba. Será más fácil.

Roberto se subió con una facilidad que dejó pasmada a Nina. Apretó sus piernas contra los costados del alazán e inclinó todo su cuerpo hacia abajo para coger a su amiga. Ésta volvió a meter el pie en el estribo y se dejó llevar. Roberto era un chico fuerte, además de guapo y pecoso. Y allí estaba ella ahora, sentada en un caballo detrás de él.

—Agárrame de la cintura para que no te caigas —le dijo—. Agárrame fuerte. No te pasará nada.

—Es que... —A Nina le daba vergüenza estar así con Roberto, pero no lo quería reconocer.

—Vamos, no te cortes. Apóyate en mi espalda y cógeme de la cintura.

Por fin Nina lo hizo y notó que su corazón se movía y golpeaba la espalda de Roberto intermitentemente, más o menos al mismo ritmo que las patas del caballo.

—¿Cómo se llama? —preguntó la chica.

—¿Cómo se llama quién?

—El caballo.

—Ah, sí. Se llama *Simón*. ¿A que es precioso?

—Sí. Pero «Simón» no es un nombre de caballo.

—Tampoco «Nina» es un nombre de chica, ¡qué le vamos a hacer! Nadie es perfecto.

Nina prefirió quedarse callada y no contestar al comentario de Roberto. Se agarró más fuerte a él porque *Simón* empezó a trotar más deprisa y no quería caerse. Estaban demasiado cerca de los toros. Siempre le habían dado mucho miedo. Cuando iban a las fiestas del pueblo de sus abuelos maternos y había vaquillas corriendo por las calles, Nina se encerraba en la casa, en el piso de arriba, y no salía de allí hasta que no se marchaban los animales. Alguien le había dicho que una vez un toro había entrado por la puerta principal de una casa de la plaza, y que había llegado hasta la cocina, donde una señora de cierta edad estaba guisando. Como la mujer era bastante sorda ni se enteró de la presencia del astado. Otros decían que un toro, no se sabe si el mismo u otro, había llegado a subir las escaleras de una casa y se había asomado al balcón a ver a sus hermanos correr delante o detrás de los mozos que les hacían trastadas. Nina no quería creerse lo del balcón, y por eso prefería esconderse en el piso de arriba. Se asomaba a la ventana y así controlaba a los toros que estaban en la plaza. Los contaba una y otra vez para comprobar que ninguno había entrado en ningún portal y que seguía estando segura.

Pero aquellos otros toros, los de Roberto, parecían tranquilos e incapaces de echar a correr detrás de nadie, ni tampoco de atacarlos. Además, por alguna razón se sentía segura con aquel muchacho. Era un poco mayor que ella y eso le daba confianza. Él llevaba toda la vida cabalgando entre aquellos animales. Nada iba a pasar, seguro. Nina estaba perdiendo alguno de esos miedos que la habían acompañado siempre. La presencia de Amelia, de sus historias, del campo, del patio, de los olivos, de los naranjos, todo le enseñaba a respirar el aire de otra manera.

—¿Estás cómoda, Nina? —le preguntó Roberto volviendo su cabeza hacia la de Nina, que notó la nariz del chico en su frente durante unos segundos.

—Sí, gracias, estoy muy bien. Esto es precioso. Nunca había montado a caballo. Mi madre no me deja. Todo se ve desde arriba y es diferente. Debe de ser como estar en la cima de una montaña, que uno se siente más grande y más pequeño a la vez.

—¿Has subido montañas? —inquirió el chico.

—No. Me lo ha contado mi abuela.

—¿Ella lo ha hecho? —preguntó incrédulo.

Para él, Amelia siempre había sido una mujer mayor. No se la imaginaba capaz de haber subido montañas cuando era joven. Hay que ver la poca imaginación que tienen algunas personas.

—Pues claro, muchas. Por ejemplo, ésa de ahí enfrente.

Nina soltó una de sus manos de la cintura de Roberto para señalar aquel monte alto al que su abuela había subido más de una vez. Pero en ese momento, Roberto tiró de las riendas de *Simón* para obligarlo a girar y Nina perdió el equilibrio y casi se cae. Se agarró rápidamente al cuerpo del muchacho y consiguió permanecer en la cabalgadura.

—No te sueltes otra vez, no sea que te caigas y te rompas algún hueso.

—No te preocupes, no lo volveré a hacer.

Y Nina agarró fuerte a Roberto por detrás de la cintura y apoyó su cuerpo contra el del chico. Entonces pensó que evitar caerse del caballo era una excusa estupenda para abrazar a alguien durante un rato. Por ejemplo, a Roberto. Lo mismo que bailar pegados. Cuando veía en las fiestas a parejas que bailaban juntas, siempre le parecía que aquélla era la excusa perfecta para abrazar a alguien durante un par de minutos sin tener que decirle previamente que te gusta y todas esas cosas que la gente se dice en las películas antes de darse el primer beso.

—Bueno, pues ya hemos llegado —oyó Nina que decía el caballero.

—¿Adónde? —preguntó.

—A la puerta. Mejor salir por aquí que volver a saltar la verja. Tu padre está ahí delante. Si nos ve saltar nos la cargamos.

Nina había cerrado los ojos durante los últimos minutos, así que no se percató de que se acercaban a la verja de la entrada, ni de que su padre ya tenía el coche preparado al otro lado para volver al pueblo, ni de que el sol ya había anaranjado el cielo y estaba a punto de desaparecer durante unas cuantas horas. ¡Tanto había disfrutado!

—¿Te ha gustado?

—¿El qué? —Nina no sabía si le preguntaba acerca del paseo o sobre haber estado agarrada a su cintura.

—El paseo.

—Sí, sí, mucho. Es precioso.

—Podemos repetirlo otro día, si te apetece.

—Sí, será estupendo, Roberto. Muchas gracias. Me voy. Mi padre me llama. Adiós.

—Espera que baje yo antes, y te ayudo.

—Sí, por favor.

Roberto bajó de un salto y dio las dos manos a Nina para ayudarla en su descenso. Nina se puso un poco colorada y se las cogió sin dejar de mirarle a los ojos. Quedaron ambos de pie en el suelo, mirándose y con las manos aferradas.

—Bueno, pues eso, que muchas gracias, Roberto. Otro día lo repetimos.

—Sí, Nina, será estupendo.

Roberto acercó su cara a la de Nina y le dio dos sonoros besos que debieron de oírse hasta en el pueblo, hasta en la cima de la montaña de Amelia, hasta en las nubes que ardían en el cielo a su paso por el sol. Al menos eso es lo que pensó Nina, cuyas mejillas subieron de temperatura más de tres grados en menos de dos segundos.

12

LA LEYENDA DEL POZO MISTERIOSO

Nina llegó a casa con una sonrisa de oreja a oreja y con la cara todavía encendida. En cuanto Amelia la vio, supo que aquello no se debía a ningún paseo solitario entre los olivos, ni a haber ayudado con ningún ladrillo en el brocal del pozo. Conocía demasiado bien esa expresión. Ella también había sentido lo mismo. Amelia había observado a Nina jugar en la calle con Roberto un par de veces e imaginó que aquella cara de fuego tenía que ver con el muchacho. En cuanto Nina se le acercó, ya no le cupo la menor duda. La ropa de Nina olía a caballo.

—Así que has estado montando a caballo con Roberto —le soltó Amelia cuando su nieta acercó su cara para darle un beso.

—Abuela, ¿también tienes el don de la adivinación? —Nina no era consciente del olor que la acompañaba.

—Hueles a caballos. Eso quiere decir que los has tenido cerca. Tu cara de emoción no es porque hayas estado sólo viéndolos. Ese rostro dice que has montado en uno. Y esa sonrisa de ojos brillantes como estrellas me está explicando muy claramente que has subido a un caballo con un chico. Y el único chico guapo de más o menos tu edad, capaz de provocar ese estado y que viva en los alrededores, es Roberto. Conclusión: has estado montando a caballo con Roberto.

—Abuela, eres como Sherlock Holmes. Deberías haberte dedicado a ser detective privado, o mujer policía. Algo así. Hubieras descubierto al culpable enseguida.

—¡Quita, quita!, en mi tiempo, bueno, cuando era joven, las mujeres no trabajaban fuera de casa. Estábamos aquí limpiando, cocinando y haciendo ese tipo de tareas. Ahora, no. Ahora los hombres hacen de todo y las mujeres van a trabajar fuera. Pero a mí me tocó lo que me tocó, así que nada de ser detective. ¿A que tenía razón?

—Sí, abuela. Con Roberto. Es guapo, ¿verdad?

—Sí, mucho.

—Hemos montado en el mismo caballo, yo agarrada a su espalda. Era como estar abrazándolo. Me he puesto colorada cuando hemos bajado. No sé si se me habrá notado.

—Si estabas la mitad de roja que ahora, seguro que sí. Pareces un tomate.

—¿Tanto?

—O más —contestó su abuela, encantada de que Nina le hiciera esas confidencias—. Oye.

—¿Qué?

—¿Es el primer chico que te gusta?

—Pues es el primero que me gusta y con el que consigo estar tan cerca. Me han gustado algunos chicos del cole pero de lejos. Con éste es como si hubiera estado abrazada. Bueno, y con mi primo, pero se cree que soy pesada y pequeña. No le gusto nada. En fin...

—En fin...

Y se quedaron mirándose a los ojos. De pronto les dio a las dos una risa que parecía no querer abandonarlas. No pararon de reír en un buen rato. El ruido llamó la atención del padre de Nina, que se asomó por la ventana de la cocina.

—Pero ¿qué os pasa?

—Nada, hijo, nada. Aquí, acordándonos de cosas. Y riéndonos. Estamos bien. Muy bien, diría yo.

—Vale, vale. La comida está casi terminada. Ya podéis sentaros a la mesa. ¡Magdalena, baja, que ya he terminado la paella!

—A papá le gusta hacer paellas. Es lo único que sabe cocinar. Lo demás lo hace mamá. ¡Ah!, y la macedonia de frutas también la prepara él.

—Pues no es que tenga mucho mérito cortar frutitas y mezclarlas. Yo le enseñé más platos. Cuando volváis a casa, dile que os haga otras cosas. Las manitas de cerdo le salían muy bien.

—¿Manitas de cerdo? —preguntó Nina poniendo cara de asco.

—¿No las has probado? Están riquísimas.

—Ay, no. ¡Qué asco! Yo no quiero comer eso.

—Si no las pruebas antes, no sabrás si te gustan. En la vida hay que probar las cosas para saber si nos gustan o no.

—¿Todas las cosas? —Nina cogía los comentarios de Amelia al vuelo.

—Bueno, quizá *todas* las cosas no. Pero muchas sí que hay que probarlas. ¡Me parece a mí, vamos!

Abuela y nieta se levantaron a comer. Magdalena bajó del piso de arriba, donde había estado trabajando con su ordenador. Por un lado era una suerte poder ir con el trabajo a cuestas, pero, por otro, era un incordio, porque estaba, pero era como si no estuviera.

Como todas las tardes, Nina y Amelia se sentaron en el balancín para hablar. Esta vez fue la abuela la que empezó a preguntar, aunque evitó el tema de

Roberto para que Nina no lo tuviera en la cabeza innecesariamente. Amelia pensaba que esas cosas venían solas.

—¿Y el pozo? ¿Ya lo han terminado?

—Creo que sí. Papá dijo esta mañana que ya estaba todo hecho. Ahora habrá más agua para los animales.

—Hace años que ya hubo allí un pozo. Ahora sólo lo están recuperando. Pero ese pozo tiene mucha historia.

—¿De verdad? ¿Se ahogó alguien?

—No, que yo sepa. Se han ahogado personas en otros pozos, pero en ése, que yo recuerde, no ha habido ningún ahogado.

—Entonces, ¿cuál es la historia del pozo?

—Verás, Nina... —Amelia empezó a contar una historia que prometía estar llena de misterios—. Te habrás dado cuenta de que el pozo no es un agujero y ya está.

—No sé, abuela. —Nina no siempre era muy observadora.

—Sí. La tierra hace una especie de sima de unos doce o trece metros de diámetro, formando un círculo. Te habrás fijado que en esa parte no hay olivos. —Nina asintió mecánicamente porque no se había fijado. Amelia lo notó, pero no dijo nada, no quería interrumpir su narración—. El pozo está situado justo en el centro. Antes había matorrales. Después se limpió todo para hacer los abrevaderos. El agujero ha estado cegado durante muchos años, por eso lo han tenido que reconstruir ahora.

—Abuela, ¿qué es una sima? —Nina a veces era lenta de reflejos.

—Nina, esa palabra la he dicho ya hace un rato.

—Sí, ya, le he estado dando vueltas, a ver si la entendía, pero no.

—Una sima es una hondonada en la tierra. Es como un agujero, como el cuenco gigantesco de las ensaladas.

—¿Como el bol?

—¿Bol? ¿Ahora se llama «bol»?

—Sí, yo siempre he oído que se llama «bol».

—Bueno, pues es un cuenco. Entonces, imagínate que la tierra formara un cuenco y que en medio estuviera el pozo.

—Ya, como el bol de hacer los bizcochos.

—¿Ahora hay un «bol» para hacer los bizcochos?

—Sí, tiene un agujero en medio. Así los bizcochos salen como si fueran una corona, y se cortan rebanadas.

—Fíjate qué cosas. Toda la vida hemos hecho los bizcochos en la bandeja del horno, sin más. Y ahora hay recipientes agujereados que se llaman «bol».

—Bueno, ése no sé si se llama «bol» o...

—Bueno, dejémoslo. —Amelia ya estaba harta de palabras nuevas y quería seguir con su historia—. El caso es que el pozo está en el centro de una sima.

—Que es como un bol.

—Bueno... ¡Qué más da! El caso es que me dejes seguir. Si no, me callo. Si me pierdo, luego me lío.

—Vale, vale, abuela. Ya no te interrumpo más.

—¡Pues eso! El pozo, que está en medio del bol, quiero decir, de la sima.... ¡ya no sé lo que digo! Mi abuela me contaba que antiguamente hubo allí una mina de oro y que el agujero era la entrada.

—¿Una mina de oro? —A Nina aquello le sonaba a los enanitos de Blancanieves.

—Sí, eso decían. Una mina que fue abandonada después de algún cataclismo.

—¿Qué es un cataclismo, abuela?

—Nina, déjame seguir. Y ve leyendo y aprendiendo palabras del diccionario.

—¡Vaya rollo, estudiar el diccionario!

—¡No te pasaría nada malo, sólo aprenderías más palabras, que buena falta te hace!

—La profesora de Lengua dice que para saber vocabulario lo que hay que hacer es leer.

—Y tiene razón: leer. ¿Y qué se lee? Los libros. ¿Y qué es el diccionario?, ¿una bellota? Es un libro, o sea, que se lee.

—Sí, pero... —empezó a protestar Nina. Eso de leer el diccionario como si fuera una novela le parecía un disparate.

—No hay peros que valgan. Y ahora, ¿quieres seguir escuchando la historia del pozo o me callo y te quedas sin saberla?

—No, por favor. Cuéntamela, que ya me callo. Lo prometo. No te interrumpo más.

—Bueno. Pues eso. Verás. Dicen que había una mina de oro abandonada. Un día, hace muchos, muchos años, alguien quiso volver a abrirla para ver si todavía quedaba oro. Esa persona era un hombre viejo, muy avaro, que estaba obsesionado con las riquezas. Ya tenía mucho dinero, pero quería más. Se metió en el agujero, que entonces no tenía agua. Encontró laberintos, decenas de calles horadadas por los mineros. Tanto y tanto se adentró que terminó por perderse. Nunca más volvió a salir. Algunos dicen que se escucha su voz en las noches de luna llena. Una voz quejosa, una voz que llama, que implora ayuda, que pide que lo saquen de ahí.

—Pero ya tiene que estar muerto, si hace tantos años. Eso no puede ser.

—Pues claro que no puede ser. Es una tontería. Es imposible que se oiga su voz. Lo que no es imposible es que se perdiera allí, si es verdad que era una mina con pasillos.

—Abuela, yo no me creo que fuera una mina.

—¿Y por qué no?

—Porque si ahí abajo hubiera oro, alguien habría intentado encontrarlo.

—Yo tampoco me lo creo. Es una leyenda. Y hay más.

—¿Sobre el pozo?

—Sí, sí, todo sobre el mismo pozo. De los otros nadie cuenta nada, pero ese pozo, precisamente, tiene leyendas para dar y vender. Mi otra abuela me narró otra historia. Dicen que aconteció hace muchos, muchos años; antes, incluso, que lo del viejo avaro. En esa ocasión, el pozo era un pozo de verdad, con agua. Pero un día su agua dejó de ser transparente. Un día se puso de color verde. De un verde, verde.

—¿Verde, verde? No es tan raro. El agua del mar también lo es.

—Oye, ¿a ti qué te enseñan en esa escuela a la que vas?

—¿Por qué lo dices, abuela?

—El agua del mar no *es* verde. Se *ve* verde, que no es lo mismo. Es la luz, la profundidad, el fondo, esas cosas son las que hacen que parezca verde o azul, depende. Pero si tú coges un cazo de agua de mar y lo pones en una botella transparente, observarás que el agua no tiene color.

—Bueno, supongo que algo así pasaría con el agua del pozo. Es lo que se llama un «efecto óptico». Eso sí que nos lo han enseñado en el colegio.

—Lo del pozo no era un efecto óptico. Era agua verde, de un verde más luminoso y más intenso que las hojas de los olivos.

—¿Un verde fosforito? —preguntó Nina.

—¿«Fosfoqué»?

—Fosforito, como el rotulador de subrayar.

—Será, sí.

A Amelia también se le escapaba eso del rotulador de subrayar y lo de «fosforito». Cuando ella iba a la escuela no existían ni los rotuladores ni los colores «fosforito». Continuó su narración:

—La gente había sacado agua normal durante muchísimos años y nunca había notado nada raro, hasta un día en que el agua cambió de color. El primero que lo advirtió fue un hombre joven que se había quedado viudo hacía pocos meses. Fue a coger agua muy temprano, como todas las mañanas, y al asomarse al brocal vio que el agua tenía color. Le extrañó, pero pensó que era un efecto óptico. Miró el cielo. No había nubes ni ninguna cosa rara que explicara aquel cambio. Metió el cubo y dejó correr la cuerda, que se deslizó por las poleas. El cubo se introdujo en el pozo. Cuando estuvo lleno, el hombre lo izó tirando de las cuerdas con las dos manos. Su cara iba empalideciendo conforme lo veía acercarse al borde. No podía creer lo que estaba viendo. El agua, efectivamente, estaba verde. Pensó que era del color de los musgos que se quedan entre las rocas de la orilla del mar. Él había sido durante mucho tiempo marino y había dejado el mar por aquella mujer con la que se casó, y que acababa de morir.

—¡Pobre! —exclamó Nina.

—Es la vida —contestó Amelia.

Y siguió con su historia:

—Cogió el cubo y se lo llevó lo más deprisa que pudo a casa del alcalde. Cuando éste lo vio, no se creyó la historia de Juan, que así se llamaba el hombre. El alcalde pensó que le estaba tomando el pelo, pero, claro, Juan no estaba para bromas. Además, era un hombre muy serio y nunca estaba de guasa. El alcalde acompañó a Juan hasta el pozo para comprobar aquel insólito hecho. Cuando llegaron allí ya había más personas apostadas alrededor, observando el extraño fenómeno. Todos los que habían ido a recoger agua se llevaron la misma sorpresa. Casi todo el pueblo estaba allí, y no daban crédito a sus ojos.

»Cuando vieron a Juan, todos lo miraron de una manera diferente a la habitual: el color del agua era el mismo que el de los ojos de su mujer, pero él no se había dado cuenta. Se había fijado en lo raro del caso, pero no lo había asociado con ella, a pesar de que se pasaba el día y la noche mirando un pequeño retrato suyo que él había pintado sobre una maderita, y llorando. Y tanto había llorado que parte de la pintura se había desgastado. Si seguía así, la única imagen que le iba a quedar de Carolina, que así se llamaba su mujer, desaparecería para siempre diluida en el agua salada de sus lágrimas.

—¿Y por qué no se habían hecho fotografías? —Nina no concebía que hubiera existido un mundo distinto al suyo, sin fotos, sin ordenadores, sin teléfonos móviles.

—Ya te he dicho que esto pasó hace muchos años, en una época en la que no había ni fotos, ni lavadoras, ni grifos con agua en las casas.

—¿Y tampoco había teléfonos móviles? —la pregunta le pareció absolutamente coherente a Nina.

—Nina, hace diez años tampoco había teléfonos móviles. Nacieron casi al mismo tiempo que tú. Y el mundo lleva dando seres humanos miles de años. Y ahora cállate y déjame seguir con la historia de Juan.

»El alcalde miraba y miraba una y otra vez aquella agua. Metió un vaso en el cubo para comprobar el color. Lo elevó hacia el cielo para verlo con mayor claridad. Lo movió de un lado a otro, lo subió, lo bajó, lo remiró...; pero aquello, por supuesto, no cambiaba de color. Después de quedarse callado un buen rato, empezó a hablar. En aquel momento, todas las personas que había junto al pozo se arremolinaron alrededor del alcalde para escucharlo mejor.

»—Hay que bajar al fondo del pozo y ver qué ha pasado.

»Ésas fueron las palabras del alcalde. Los demás lo observaron y esperaron que siguiera hablando, pero no lo hizo. Entonces todos empezaron a mirarse unos a otros. Alguien tenía que bajar, pero ¿quién? Los murmullos cesaron cuando de pronto una voz se alzó por encima de todas las otras:

»—Bajaré yo.

»Era Juan el que se presentaba voluntario para descender al pozo.

»Los ojos de todos los que estaban allí se dirigieron a él.

»—Yo bajaré —repitió.

»Y ni corto ni perezoso se quitó la camisa y los zapatos y se dirigió hacia el pozo.

—¿Y bajó así, sin más, sin equipo de buzo ni nada? —le interrumpió Nina.

—En aquellos tiempos tampoco había equipos de buceo. Y, además, no iba al fondo del mar, sólo al de un pozo.

Amelia movió la cabeza de un lado a otro antes de continuar su narración.

—El caso es que se agarró a las cuerdas que corrían por las poleas y, sin dirigir la palabra a nadie, empezó el descenso.

»—Tenga cuidado —dijo el alcalde, que se quedó arriba con la ropa bien planchada y las alpargatas llenas del polvo de la tierra seca de alrededor del pozo.

»Pero Juan ya había descendido mucho y no pudo escucharlo.

»Enseguida sus pies llegaron al agua. La falta de luz no dejaba ver el color tan verde del líquido, pero era evidente que aquello no era agua normal. Aquel color más parduzco sí le recordó los ojos de su mujer en sus últimos meses, cuando ya habían perdido parte del brillo que habían tenido antes de caer enferma.

»Miró a su alrededor y vio que las paredes del pozo estaban recubiertas de musgos. Se apoyó en un saliente y notó un ruido. Advirtió también que algo se movía tras él. Se dio la vuelta y vio una palanca que sobresalía de una piedra. La bajó y de pronto escuchó un ruido aún mayor: se había abierto un boquete en la pared, un agujero que conducía a un pasadizo. Juan se quedó atónito al descubrir un túnel en el pozo. Se metió la mano en el bolsillo y sacó una linterna que siempre llevaba encima.

—¿Una linterna en aquella época? —saltó Nina como un resorte—. No puede ser. Eso sí que lo he estudiado en el colegio. La electricidad la descubrió Edison hace más de un siglo, y dices que esto ocurrió mucho antes.

—Bueno, pues sería un mechero y encendería algún palo en forma de antorcha. ¡Qué sé yo! El caso es que entró y debió de iluminarse con algo.

»Entró por el estrecho pasadizo. La antorcha, o la linterna, o lo que fuera le mostró que todas las paredes del pozo también estaban recubiertas del mismo musgo verde que acababa de ver antes.

»Y pensó: «Parece que el musgo haya teñido el agua».

»Pero justo después de terminar de pensar esto vio una puerta que se abría al fondo de aquel pasillo. Entró. Aquello le pareció aún más raro. La puerta daba a una sala vacía en la que todo era verde: las paredes, los suelos, el techo. Todo. También lo era otra puerta de pequeña altura junto a una de las esquinas. Giró la manivela y la abrió. Se encontró en otra sala verde que no estaba vacía: había una cama dorada en el centro, y acostada sobre ella una joven vestida de verde. Su pelo era rizado y tenía un color rojo intenso.

—Vaya, ya pensaba que también iba a tener el pelo verde —exclamó Nina.

—¿Dónde has visto tú que alguien lo tenga de ese color? —replicó su abuela.

—En el mismo sitio que he visto que una chica está dormida en una habitación al final de un pasillo dentro de un pozo.

Amelia la sonrió condescendiente y siguió con su narración:

—Los ojos de la joven estaban abiertos. Eran del mismo color verde musgo brillante. Juan se acercó. Le habló, pero la chica no contestó. Su respiración acompasada indicaba que estaba dormida a pesar de tener los ojos abiertos. Le movió un brazo a ver si se despertaba pero no lo hizo. De pronto vio que había un sobre en el suelo. Se agachó y lo recogió. Estaba cerrado. Lo abrió, a pesar de ser un hombre muy discreto, porque pensó que tal vez contendría la clave del misterio. Sacó un papel: era una carta escrita con tinta verde, con una caligrafía muy cuidada que decía:

La dama del pozo se quedó dormida y no puede limpiar con sus canciones los musgos que crecen en sus paredes. Éstos han teñido las aguas, que seguirán verdes hasta que la dama se despierte y empiece a cantar de nuevo.

»Juan no podía creer lo que estaba leyendo: había una dama del pozo que cantaba para limpiar y purificar el agua. Siguió leyendo:

Aquél que entre en esta habitación y lea esta carta sabrá cómo despertar a la dama para que todo vuelva a ser como debe ser.

»Juan no entendía nada. ¿Quién habría escrito aquello? ¿Y qué tenía que hacer él para despertar a la mujer?

»Juan había oído muchos cuentos cuando era niño. En ellos algunas princesas dormidas eran despertadas por príncipes que les daban un beso, pero ni él era un príncipe ni la dama una princesa. De todos modos probó suerte: le dio un beso en la frente y, por supuesto, no funcionó. Lo repitió luego con las mejillas y tampoco ocurrió nada, como era de esperar. En los viejos cuentos los príncipes besaban a las princesas en los labios. Se puso muy nervioso al pensarlo, el corazón se le aceleró, pero por fin se decidió y la besó como si fuera un príncipe azul. Pero nada. La dama seguía durmiendo como un tronco. ¿Qué otra cosa podía hacer?

»Releyó la carta a ver si encontraba la clave: «sabrá cómo despertar a la dama...». Pues él no tenía ni idea. Se sentó junto a la cama y apoyó en ella la espalda y la cabeza. Al poco se quedó dormido y soñó con su mujer: él le hablaba, pero ella no le contestaba. Le sonría y cantaba una canción que Juan nunca había oído. Era una melodía lenta que hablaba del agua, de la dama, de los sueños. Cuando el hombre se despertó no sabía dónde estaba. Tenía los ojos humedecidos: había visto a Carolina, pero no habían podido comunicarse. Ella sólo cantaba, cantaba. ¡Cantaba! ¡Cantar! Sí, eso era. Debía cantar para despertar a la dama. Su mujer se lo había dicho en el sueño de otro modo. Pero ¿qué debía cantar?

»Probó con una vieja melodía que su madre le cantaba cuando era pequeño, pero nada. Luego, con otra que los hombres entonaban en el campo al ritmo de la siega. Después, con todas las que él sabía. Nada de nada. La dama no despertaba. Entonces recordó que en el sueño su mujer había cantado algo sobre la dama. Debía ser esa canción y no otra. Pero ¿cómo recordarla? Imposible, se dijo, no había atendido a todas las palabras. Se volvió a sentar en el suelo, desesperado por su poca memoria. Cerró los ojos y pensó que, si tal vez volvía a dormirse, regresaría la visión de su esposa y volvería a cantar. Enseguida se durmió y empezó a soñar; pronto vio a Carolina que le sonreía y le cantaba. Se concentró para aprenderse aquellas palabras, que decían:

La hermosa dama del pozo
se durmió sin remisión.
Cántale esta canción
y despertará con gozo.

»Se repitió la letra varias veces para no olvidarla. Carolina le sonreía mientras se daba cuenta de todo el empeño que ponía su marido en aprender aquellos versos.

»Juan despertó un poco aturdido con las palabras a punto de salirle de la boca. Se acercó a la dama y empezó a cantar. ¡Nada! La dama no se despertó. ¿Qué estaba haciendo mal? Lo volvió a intentar con otra melodía. Y nada. Claro, había memorizado las palabras, pero ¿y la música? Con eso no había contado. Debía dormirse otra vez para recordarla.

»Y así lo hizo. Carolina volvió a sonreírle desde el sueño y volvió a cantar. Repitió la melodía varias veces. Sabía que Juan no tenía precisamente lo que se dice un buen oído. Pero, esta vez, Juan la aprendió relativamente pronto. Ella le volvió a sonreír por última vez y levantó su mano derecha en el aire. Juan creyó que lo llamaba y se acercó, pero no la podía alcanzar. Ella se alejaba más y más. Entonces comprendió que nunca la volvería a ver, que había venido desde algún lugar más allá del sueño para darle la clave que salvara al pueblo del agua verde, pero nada más. Juan se llevó las manos a los ojos y lloró, y lloró y lloró. Y se despertó llorando amargamente. Tanto que casi se le olvidan la melodía, las palabras y la misión que tenía. Cuando por fin se calmó, se levantó y fue hacia la dama. Con la voz aún entrecortada cantó aquella canción. Entre palabra y palabra seguía llorando. Y lloraba tanto que no se dio cuenta de que la dama se estaba despertando.

»Ella primero cerró los ojos y luego los volvió a abrir. Lo miró y entendió inmediatamente que aquél había sido su «despertador». Se colocó delante de él, lo cogió de los brazos y le dio un beso. Juan dejó de llorar. Quiso decir algo, pero la dama le puso su dedo índice sobre los labios para obligarlo a callar. Le señaló la puerta sin decir nada. Le tomó la mano y lo condujo hasta la salida. Pasaron, ambos en silencio, por aquel oscuro corredor que ahora se iluminaba sólo con la presencia de la dama. Llegaron a la entrada que daba al pozo. Allí la dama se acercó más a Juan y lo besó en los labios. Le señaló la cuerda de las poleas que tenía delante y, sin poder decir nada, Juan la agarró con las dos manos y estiró. Alguien desde arriba empezó a levantarlo. En aquel momento oyó por primera vez la voz de la dama que empezó a cantar. Las aguas empezaron a moverse al escuchar su canto, y cuando Juan llegó al brocal del pozo ya habían recuperado su frescura y su transparencia.

»—Juan, lo has conseguido. ¿Cómo lo has hecho? —Era el alcalde todo ufano, quien le preguntaba tan satisfecho como si hubiera sido él mismo el que había salvado al pueblo. Juan se lo quedó mirando, a él y a todos los demás que esperaban ansiosos sus palabras.

»—Si os lo contara, no os lo creeríais —fue todo lo que pudo decir.

Se giró para volver a mirar el fondo del pozo. Le pareció oír muy lejos una voz hermosa que cantaba. Nunca supo si aquélla era la voz de la dama o la de Carolina.

»Y ya está.

—¿Ya está? —preguntó Nina que se había quedado con la boca abierta.

—¿Qué más quieres? Así acaba la historia del pozo, la que me contaba mi otra abuela.

—¿Pero Juan no volvió a ver a la dama del pozo?, ¿encontró alguna vez a su mujer en otros sueños?, ¿qué hizo después? —Nina quería saber muchas más cosas.

—¡Y qué sé yo, Nina! A mí eso es todo lo que me contaron. Tal vez tú misma puedas inventar el final de la historia.

—Si yo me invento el final, no será lo que realmente pasó —repuso la niña.

—Eso nunca lo sabremos —afirmó Amelia.

—Abuela, ¿y a ti qué versión te gusta más, la de las minas o la del agua verde? ¿Cuál te crees más?

—Verás, una cosa es que me gusten más o menos, y otra muy distinta es que me las crea. Por

gustarme, me gusta más la historia de Juan. Pero no me la acabo de creer. Eso de que de repente el agua deje de ser verde no me convence mucho, la verdad.
—Sobre la dama dormida y la canción de Carolina, Amelia no dijo nada—. Es una leyenda, Nina.

—Como la de los naranjos y el perfume de sus flores.

—Más o menos —admitió Amelia.

—Abuela, entonces, ¿cuál es la verdadera historia del pozo?

—Posiblemente, la verdadera historia del pozo es que no hay historia. Dicen que hace muchos años cayó un meteorito que provocó un gran socavón, y que así se descubrió que había agua en la zona. Terminaron de excavar e hicieron el pozo. Eso es todo. Ya ves, una historia que parece más real, pero que es menos hermosa que la leyenda del agua verde.

—Las historias reales deberían ser tan hermosas como las leyendas, ¿no te parece, abuela?

Nina ahora empezó a darle vueltas a las conversaciones de sus padres sobre la abuela.

—Esta leyenda es hermosa pero triste. En la realidad, en la vida, hay muchas historias; unas son alegres, otras, tristes, y la mayoría son tristes y alegres a la vez.

—Ya —replicó Nina, y volvió a acordarse de la residencia, de la enfermedad de su abuela y de esas cosas.

—Ya —repitió Amelia, que había entendido perfectamente ese «ya» de su nieta, aunque no dijo nada—. Y ahora vete a la cama, que se ha hecho tarde.

Nina se fue a su habitación, pero no se metió en la cama hasta varias horas más tarde. Se sentó en el escritorio que había sido de su abuelo, abrió los cajones y encontró un montón de folios. Cogió el bolígrafo metálico que le habían regalado cuando empezó en el colegio nuevo y se puso a escribir. Por aquellas hojas amarillentas pasaron naranjas, damas de ojos verdes, piratas turcos, viejas monedas, montañas llenas de flores de colores, estrellas que se paseaban por el firmamento...

Todas aquellas historias que le había contado su abuela Amelia se convirtieron en palabras escritas con tinta de color azul. Cuando terminó hacia la media noche, salió de su cuarto con todo aquello bajo el brazo y llamó con los nudillos en la puerta de la habitación de sus padres. Salió a abrir Eduardo medio dormido y sin las gafas.

—¿Qué pasa?, ¿quién es?

—Papá, soy yo. No pasa nada.

—¿Qué haces aquí? Mamá duerme. ¿Qué quieres? ¿Qué llevas ahí?

—Quiero que leas todo esto y que luego me digas si de verdad crees que la abuela no está en condiciones de seguir en su casa, viviendo como hasta ahora.

—Pero ¿qué es? —preguntó su padre, que seguía adormilado. Nina lo había despertado del primer sueño, que dicen que es el más profundo.

—Son las historias que la abuela Amelia me ha contado durante todos estos días. Las acabo de escribir tal y como ella me las ha ido narrando. Léelas. —La voz de Nina era más firme que nunca.

—¿Ahora?

—Sí, papá, ahora. Ponte las gafas y léelas, por favor.

Y Nina le entregó aquel manuscrito. Su padre se quedó sin saber qué hacer durante unos cuantos segundos, los mismos que tardó Nina en llegar a su habitación, abrir la puerta y meterse en la cama. Se quedó mirando al techo con la misma sonrisa que debía de tener la dama del pozo cuando dormía con los ojos abiertos.

Eduardo bajó al salón, se puso las gafas, se sentó y empezó a leer aquellas hojas que le había entregado su hija. La lectura le hizo sonreír, reír, llorar. Un poco de todo. Nina tenía razón: tanto si Amelia era capaz de recordar todos aquellos cuentecillos, leyendas o historias, como si se los había ido inventando sobre la marcha para entretener a su nieta, lo que parecía claro era que su cabeza estaba todo lo bien que una cabeza podía estar. Se quitó las gafas, miró a su alrededor y pensó que Amelia podía vivir donde ella quisiera, es decir, en su casa, donde siempre había vivido, y no en una residencia. Al menos por el momento. Ya se vería qué deparaba el futuro.

Pero el futuro es algo de lo que nadie sabe nada. Es una palabra que nada significa porque cuando llegamos a él ya ha dejado de ser futuro y es un presente más, como el de todos los días.

13

VUELTA A CASA

Llegó el día de regresar. La tarde anterior, Roberto se presentó en casa de Amelia con un regalo para Nina: era una foto de su caballo *Simón*, el mismo que habían montado juntos aquella mañana en el olivar.

—Para que te acuerdes de nuestro paseo cuando estés en tu casa —había dicho el muchacho.

—Creo que nunca lo olvidaré, Roberto. Fue una mañana preciosa.

Y se estiró sobre las puntas de sus pies para darle un beso en la mejilla a Roberto, que sonrió, le dio otro beso y se marchó. Nina se quedó mirando la foto de *Simón* y pensó que la colocaría en su habitación, enfrente de la cama, para verla todas las noches y dormirse recordando aquel paseo en que estuvo abrazada a Roberto.

Nina no habría querido dejar a la abuela. Bien a gusto se habría quedado con ella, pero los días de vacaciones se habían terminado y tenía que volver a la escuela. Además, su padre y su madre tenían que trabajar. Al menos, Amelia se quedaba tranquila en su casa.

Cuando ya estaba todo el equipaje en el maletero, y casi se habían despedido, Amelia llamó a Nina en un aparte y le dio un sobre.

—¿Qué es esto, abuela?

—Es una carta. Léela esta noche, cuando llegues a tu casa y salgas a la terraza. Antes no, ni en el coche, porque te puedes marear, ni en el restaurante donde comáis, porque se manchará. Sólo cuando llegues a casa. Ahora dame un beso y nada de despedidas tristes.

Amelia desapareció tras la puerta sin volver la mirada hacia el coche de su hijo, que ya estaba en marcha. Era mejor así, siempre lo había sido, no ver el momento de la partida y quedarse con la imagen anterior. Sin despedidas.

Después de casi diez horas de viaje, llegaron a casa. Lo primero que hizo Nina fue ir a su habitación y salir a la terraza. Dejó encendidas todas las

luces de dentro para poder leer la carta que le había dado su abuela. La noche estaba oscura y algunas nubes ocultaban las estrellas. Sacó el gran y amorfo taburete rojo en el que siempre le gustaba sentarse, se acomodó y abrió el sobre. Sacó la cuartilla y leyó:

Querida Nina:

Cuando leas estas palabras ya estarás lejos de este patio, de este balancín desde el que hemos paseado juntas por huertos de naranjos, por el desierto, por los mares en barcos piratas, por pozos misteriosos, por todos esos lugares donde se puede ir con la imaginación sin salir de este patio o de esa terraza en la que ahora estás.

Mira el cielo, Nina. En este momento yo también lo hago. Estamos viendo las mismas estrellas. Todo está igual, allá y aquí; sólo cambiarán las nubes y la intensidad del sol, pero las mismas estrellas están ahí, las que existen y las que ya no existen pero podemos ver. Porque a veces los ojos de la realidad y los de la imaginación pueden ver las cosas que no existen. Como en un juego de magia.

Porque la vida tiene mucho de magia.

Mira todas las noches las estrellas y estaremos juntas.

Un beso,

abuela Amelia

Nina cerró la carta y miró al cielo. Las nubes ya habían desaparecido y las estrellas titilaban cada una en su sitio. Cuando ya llevaba un rato, una de ellas emprendió el viaje hacia la tierra y desapareció más allá de las montañas. En ese momento, no pudo evitar que unas lágrimas se deslizaran desde sus ojos hasta sus labios.

Y Nina se preguntó si las estrellas estarían tan saladas como las lágrimas.

Índice

El aprendiz de héroe

Alberto Torres Blandina

Ilustraciones Jesús Cisneros

ALA DELTA, SERIE VERDE N.º 71. 144 págs.

Cuando Febrero salió de su aldea en busca de su perro, no podía imaginar que el mundo fuese tan grande, ni que visitaría lugares tan diferentes como Australia, la India, Grecia, Irak, Rumanía... Tampoco podía saber las muchas aventuras que le esperaban. Ni, desde luego, que se las vería con caballeros, dragones, enigmas, monos parlanchines, vampiros, princesas, monstruos y todo tipo de seres mitológicos.